Y0-ARS-846

BELSER STILGESCHICHTE BAND VI

ROMANIK

GEORGE ZARNECKI

ROMANIK

Mit 200 Abbildungen

CHR. BELSER VERLAG

Schutzumschlag Vorderseite vgl. Abb. 159 · Schutzumschlag Rückseite vgl. Abb. 163

 Deutsche Übersetzung und Bearbeitung Gerd Betz und Irmgard Hutter. Gesamtherstellung: Chr. Belser, Stuttgart. Printed in Germany.

EINLEITUNG

Die zeitlichen Grenzen der Romanik lassen sich aus verschiedenen Gründen nicht eindeutig festlegen. Sie variieren von Land zu Land. Da überdies der romanische Stil kaum merklich einsetzte und nicht immer leicht zu definieren ist, ist es oft nicht möglich, ein bestimmtes frühes Werk mit Sicherheit als schon romanisch zu bezeichnen. Auch der Übergang zur Gotik vollzog sich nicht über Nacht, und die Dauer der Übergangsphase war in jeder Region verschieden. Verallgemeinernd läßt sich sagen, daß um die Mitte des 11. Jh. der romanische Stil sich überall durchgesetzt hatte, nach einer Vorbereitungszeit von etwa fünfzig Jahren. In der Regel wird das 12. Jh. als die Blütezeit der Romanik angesehen, doch dabei ist zu bedenken, daß schon vor 1150 in St. Denis die gotische Architektur begründet wurde. Während das Kronland Frankreichs und seine Nachbargebiete den neuen Stil sogleich aufgriffen, dauerte im übrigen Europa die Romanik unberührt oder kaum beeinflußt von dieser künstlerischen Revolution fort. In einigen Provinzen Italiens wurden noch im 13. Jh. romanische Kirchen errichtet, und in abgelegenen Gegenden Apuliens oder Portugals ist noch im 14. Jh. ein Nachleben der romanischen Plastik zu finden. Eine weitere Komplikation liegt darin, daß selbst in ein und demselben Kunstzentrum die Entwicklung der verschiedenen Künste nicht immer parallel verlief. So wurde z. B. das erste gotische Bauwerk in England, der Chor der Kathedrale von Canterbury, schon 1174 von einem französischen Architekten, Wilhelm von Sens, entworfen. Ein Psalter aber, der erst um 1200 in Canterbury illuminiert wurde, zeigt den antikisierenden Übergangsstil, der zwischen Romanik und Gotik liegt. In Malerei und Bildhauerei nämlich entwickelte sich der eigentliche gotische Stil erst im 13. Jh. Trotz dieser Einschränkungen kann man festhalten: die schöpferische Zeit der Romanik wird von den hundert Jahren 1050–1150 umschlossen, mit einem halben Jahrhundert der Vorbereitung und einem weiteren halben Jahrhundert des allmählichen Übergangs zur Gotik.

Zum Verständnis des romanischen Stils, seiner Ursprünge, seiner Entwicklung, seiner charakteristischen Merkmale und vor allem seiner Bedeutung ist es notwendig, die politischen Bedingungen jener Zeit zu beachten. Nach der unruhigen Epoche, die dem Zerfall des Karolingerreichs folgte, erlebte Westeuropa, angeführt von Deutschland unter den ottonischen Herrschern, in der zweiten Hälfte des 10. Jh. die allmähliche Wiederherstellung der politischen und sozialen Ordnung. Das Wiedererstarken des Imperiums unter Otto d. Gr. brachte Deutschland und Italien erneut in engen Kontakt, der sich zwar auf lange Sicht verhängnisvoll auswirkte, für das Wiederaufleben der Künste jedoch von größtem Nutzen war. Die Erneuerung der Beziehungen zu Byzanz erbrachte zusätzliche Impulse.

Auch Frankreich und Spanien entwickelten im 11. Jh. neue politische Aktivität, wenn auch die Zentralgewalt sich hier langsamer organisierte als in Deutschland. *Frankreich* bestand im 11. Jh. noch aus einer Ansammlung großer und kleiner Feudalherrschaften, aber im 12. Jh. hatte die zentrale königliche Autorität die meisten von ihnen unterworfen, und Frankreich stieg zu einem Machtfaktor ersten Ranges auf. *Deutschland* hingegen, geschwächt durch innere Zwietracht und die Auseinandersetzungen mit dem Papsttum, verlor allmählich die Vorherrschaft, die es im 10. und 11. Jh. behauptet hatte. Die spanischen Rückeroberungskriege *(Reconquista)*, die im 11. Jh. zur Wiedereinnahme großer, seit 711 von den Arabern besetzter Gebiete der Halbinsel führten, waren nur eines der vielen Anzeichen des neuen Selbstvertrauens Westeuropas in seine eigene Kraft. Die *Kreuzzüge* und die Eroberung des Heiligen Landes, die Niederlassung der *Normannen* in Süditalien und ihr Sieg über die *Araber* in Sizilien waren weitere Beweise des neuen Geists, gemischt aus frommem Eifer, Wagemut und Habgier. Dieselben Normannen eroberten *England* und brachten es in engeren Kontakt zum kontinentalen Europa als jemals zuvor. Das inzwischen christianisierte *Skandinavien* trat in die westliche Welt als aktiver, wenn auch weniger bedeutender Partner ein. Östlich des deutschen Reiches standen neue Länder – *Polen*, *Ungarn*, *Böhmen* und die neueroberten deutschen Ostprovinzen – den Einflüssen aus dem Westen offen, nachdem sie das Christentum von Rom und nicht Konstantinopel angenommen hatten. Geographisch erstreckte sich die romanische Welt von Skandinavien und Island bis Sizilien, vom Atlantik bis zur Weichsel und nach Siebenbürgen und im 12. Jh. bis zu den Lateinischen Königreichen in Kleinasien. Das *romanische Europa* war ein Konglomerat von *Feudalstaaten*, alten und neuen, mit verschiedenen Traditionen. Aber sie alle waren verbunden durch ihre gemeinsame Lehnspflicht gegenüber Rom und durch die lateinische Sprache, die von den Gebildeten aller Länder verstanden wurde.

Die *römische Kirche* war nicht nur der einigende Faktor, sondern auch die führende Kraft; ihr war der Wiederaufstieg Europas im 10. Jh. zu verdanken, vor allem ihrem aktivsten Teil, den *Orden*, deren Reformbewegung unter der Führung einzelner, tiefreligiöser Männer Korruption und Zerfall bekämpfte. Die deutsche, flämische und englische *Klosterreform* des 10. Jh. wurde an Bedeutung bei weitem von *Cluny* übertroffen. Das Kloster Cluny, 910 gegründet, entwickelte sich zum Haupt einer riesigen Organisation, der fast zweitausend Klöster angehörten. Nach dem Beispiel Clunys oder auch im Gegensatz zu seiner Lebensform wurden zahlreiche neue, noch strengere Orden gegründet. Im 12. Jh. ließ der Einfluß Clunys nach, und der 1098 gegründete Orden der *Zisterzienser* trat an seine Stelle.

In enger Verbindung zu den Klosterreformen stand die *Reform des Papsttums*, die unausweichlich zu einem Konflikt zwischen der wachsenden Autorität der Kirche und der der weltlichen Herrscher führte. Der *Investiturstreit* war nur ein, wenn auch der schwerste Konflikt, der aus dem Anspruch des Papsttums auf die Vorherrschaft, nicht nur in geistlichen, sondern auch in weltlichen Belangen, resultierte. Drei Daten markieren diesen Konflikt: 1077, als Heinrich IV. in Canossa vor Papst Gregor VII. sich den Forderungen der Reformpartei unterwerfen mußte; 1111, als Heinrich V. anläßlich seiner Kaiserkrönung Papst Paschalis II. zu fast bedingungslosem Nachgeben zwang; 1122, als auf dem Konzil von Worms ein Kompromiß erreicht wurde. Die Kirche ging aus diesem Streit als eine Macht hervor, die sich in allen Staaten und in allen Lebensbereichen Geltung verschaffte. Der Streit zwischen Kaiser und Papst entflammte erneut unter Friedrich Barbarossa, er

endete mit dem Frieden von Venedig 1177 und einem weiteren Zuwachs der päpstlichen Macht.
Der Konflikt zwischen den weltlichen Herrschern und der Kirche war nicht auf Deutschland beschränkt. Auch in Frankreich wollten die Könige nicht einfach auf ihre weltlichen Rechte über die Kirche verzichten, das Resultat waren bisweilen so drastische Maßnahmen wie die Exkommunikation Philipps I. 1094 durch Papst Urban II. Die ersten Normannenkönige Englands waren Anhänger der Kirchenreform, aber nachdem ihre Herrschaft gefestigt war, wurden auch sie in den Streit um den weltlichen Machtbereich verstrickt. Die unrühmlichste Episode dieses Konflikts war 1170 die Ermordung des Erzbischofs Thomas Becket in der Kathedrale von Canterbury.
Trotz dieser fortwährenden Auseinandersetzungen und der häufigen Kriege erlebte Westeuropa eine Wiederbelebung der Bildung und Literatur. Die „Renaissance des 12. Jh." ist um so bemerkenswerter, als sie einer langen Periode intellektueller Sterilität folgte. Neue Universitäten wurden gegründet, und nicht nur praktische Wissensgebiete, wie Kirchen- und Zivilrecht, in denen Bologna führend war, wurden gelehrt, sondern auch zweckfreie Wissenschaften. Der Humanismus des 12. Jh., den vor allem die Schule von Chartres vertrat, basierte auf dem Studium der Klassiker. Zahlreiche, bisher im Westen unbekannte griechische Texte wurden nun aus dem Original oder aus arabischen Versionen ins Lateinische übersetzt. Klassische Autoren und Dichter wurden studiert und kommentiert und inspirierten wiederum die lateinische Prosa und Versdichtung. Theologische Schriftsteller begnügten sich nicht länger mit Kommentaren, sondern wandten sich intellektueller Spekulation zu, wie sie z. B. gegen Ende des 11. Jh. bis ins 12. Jh. hinein zwischen Nominalisten und Realisten sich entwickelte; brillante Männer wie Abaelard waren an ihr beteiligt. Auch die Geschichtsschreibung wurde im 12. Jh. neu belebt, in Form von Annalen, Chroniken, Biographien und Heiligenviten. Zur gleichen Zeit erlebte auch die volkssprachliche Literatur eine neue Blüte, es entstanden die isländischen Sagas, die Lyrik der Troubadoure, die epischen Chansons de Geste, die Romane von König Artus und seiner Tafelrunde, die Abenteuer Alexanders und das Nibelungenlied.
In diesem historischen, religiösen und intellektuellen Klima entfalteten sich auch die bildenden Künste. Von der weltlichen Kunst dieser Zeit blieb wenig erhalten, doch zweifellos waren die Burgen und Paläste der Könige, des Adels und mancher Kaufleute einst reich an kostbaren Gegenständen zu religiösem und profanem Gebrauch. Unter den führenden Intellektuellen gab es sogar schon Sammler, von Büchern wie auch von antiken Objekten. So z. B. ließ der Bruder des englischen Königs Stephan, Henry von Blois, Bischof von Winchester, antike Statuen aus Rom nach England bringen.
Im großen und ganzen diente die romanische Kunst jedoch religiösen Aufgaben. Die karolingische Kunst wurde vom Hof und einer schmalen, intellektuellen Elite getragen, die ottonische von der Aristokratie, zu der der Kaiserhof und die fürstlichen Bischöfe gehörten. Die romanische Kunst hatte einen viel weiteren Kreis von Stiftern: Päpste, Klöster, Geistlichkeit, Kaiser, Könige, Feudalherren und zahlreiche Stifter von geringerem Rang, wie die Tochter eines reichen Metzgers, die die Fresken von S. Clemente in Rom stiftete. Sie alle widmeten gewaltige Mittel für den Bau und die Ausstattung der Kirchen, sei es aus Fröm-

migkeit, zur Einlösung von Gelübden oder auch aus Ruhmsucht. Manche Zeugnisse einer überschwenglichen Begeisterung für den Kirchenbau sind überliefert, z. B. für St. Denis und Chartres oder für Monte Cassino, wo die Bevölkerung die ersten antiken Säulen, die Abt Desiderius aus Rom hatte herbeischaffen lassen, auf ihren Schultern die steilen Hänge hinaufschleppte.

Doch mehr war erforderlich als materieller Einsatz und frommer Enthusiasmus, um große Kirchen zu bauen wie die von Cluny, die bis zum 16. Jh. die größte der Christenheit war. Vor allem bedurfte es fähiger Architekten, über die zeitgenössische Quellen leider wenig Auskunft geben. Aus den Bauwerken selbst ist zu schließen, daß ihnen detaillierte Entwürfe vorausgegangen sein müssen. Keine dieser Zeichnungen ist aus romanischer Zeit erhalten; auf Gipsgrund, Holz oder Pergament niedergelegt, wurden sie getilgt, sobald man sie nicht mehr brauchte. Voraussetzung derartiger Entwürfe war einige Kenntnis der Geometrie, denn die Grund- und Aufrisse der Kirchen verraten oft ein sorgfältig durchdachtes Proportionssystem, das auf einer Kombination von Maßeinheiten basiert. Die große, 1088 begonnene Kirche von Cluny z. B. wurde auf der Basis einer Maßeinheit von fünf römischen Fuß entworfen. Der Wunsch, monumental zu bauen, dem Westen seit der Antike unbekannt, führte manchmal zu Fehlschlägen, besonders bei der Konstruktion von Gewölben und Türmen. Manche stürzten bald wieder ein (die Mittelschiffswölbung von Cluny schon 1125), andere, wie der Schiefe Turm von Pisa, stehen trotz nachgebender Fundamente noch heute. Die Baumeister lernten aus solchen Erfahrungen, verbesserten ihre Methoden, Entwürfe und Werkzeuge, und so wurden im 11. und 12. Jh. sehr große Fortschritte in der *Bautechnik* erreicht. Diese günstige Entwicklung wurde durch die Kreuzzüge und – besonders in Süditalien – durch Handelsbeziehungen mit den arabischen Staaten beträchtlich gefördert, da sie den Westen mit Bautechniken bekanntmachten, die in Byzanz und in der islamischen Welt gebräuchlich waren. Dies läßt sich am Beispiel der *Burgen* deutlich demonstrieren, aber auch manche andere Verbesserungen, z. B. im Kuppelbau, sind wahrscheinlich auf diese Kontakte zurückzuführen. Auch der Spitzbogen, das Charakteristikum der gotischen Architektur, der schon vor dem ersten Kreuzzug 1095 in Monte Cassino und Cluny verwendet wurde, könnte auf islamische Anregung zurückgehen.

Gunzo, der Architekt von Cluny, war Mönch, aber die meisten *Steinmetzen* waren zweifellos Laien. Häufig gehörten sie Familien an, in denen das Handwerk generationenlang vom Vater auf den Sohn überging. Die *Baumeister* der großen Kirchen, die für die Baupläne, die Materialbeschaffung und die Organisation der vielen, verschiedenen Handwerker und Arbeiten verantwortlich waren, müssen energische, intelligente und gebildete Männer gewesen sein. Wenn der Fall des Architekten Villard de Honnecourt aus dem 13. Jh. auch schon auf seine Vorgänger im 11. und 12. Jh. zutrifft, dann verfügte der romanische Architekt über Lateinkenntnisse und war weit gereist. Die übrigen Künstler Maler, Bildhauer, und Metallbearbeiter, bedurften weniger organisatorischer Fähigkeiten, doch auch ihre Werke zeigen häufig, daß sie gebildet und sogar belesen waren. Manchmal hatten sie wohl nur die ikonographischen Programme auszuführen, die ihnen die gelehrten Stifter vorschrieben, wie etwa in St. Denis, wo Abt Suger an allen Arbeiten aktiven Anteil nahm: vermutlich entwarf er die Inschriften und besaß ein sicheres Urteil nicht nur über die Themen, sondern auch über den Stil der Metallgegenstände und Glasbilder. Aber er war in jeder Hinsicht eine Ausnahme. Nicht alle, aber doch viele *romanische Künstler* verfügten selbst über ausreichende Bildung. Die *Buchmaler* z.B., die oft Laien waren, mußten die Texte lesen können, die sie illustrierten. Manchmal ist ihr Stand aus Signaturen und Selbstporträts ersichtlich. In der Doverbibel in Cambridge z.B. sind zwei Laienkünstler dargestellt, die eine Initiale malen; ein böhmisches Missale in Stockholm zeigt ein Künstlerteam: ein Mönch schreibt den Text, ein Laie, „Hildebert pictor", malt und sein Assistent Everwinus hält zwei Farbtöpfe bereit. *Künstlersignaturen* und -selbstporträts sind im 11. und 12. Jh. nicht selten, aus ihnen spricht das Bewußtsein der persönlichen Leistung und der Stolz des Künstlers auf sein Werk. Solche Motive veranlaßten sicher den burgundischen Bildhauer Gislebertus, seinen Namen deutlich erkennbar am Tympanon von Autun anzubringen, oder den Italiener Wiligelmo, den Bildhauer des Doms von Modena, sich mit der stolzen Inschrift zu verewigen: „Inter scultores quanto sis dignus onores. Claret scultura nunc Wiligelme tua" (Unter den Bildhauern, wie bist du würdig der Ehren. Es erstrahlt nun, Wiligelmus, dein Werk). In diesem selbstbewußten Streben nach Anerkennung und Ruhm macht sich ein Einfluß der Antike, vermittelt durch die Schriften Vitruvs und Plinius', bemerkbar.

Nach bescheidenen Anfängen, durch das Studium antiker Vorbilder, durch Versuch und Irrtum erreichten die Künstler der hochromanischen Epoche große Meisterschaft auf jedem Gebiet. Das Künstlerhandbuch „De diversis artibus", das *Theophilus* um 1100 schrieb, beweist die technische Perfektion aller Kunstarten zu jener Zeit. Es ist aber zu beachten, daß Theophilus sein Werk „zur Ehre Gottes" verfaßte. Diese religiöse Motivation des künstlerischen Schaffens erscheint ganz selbstverständlich, da doch die weitaus meisten Werke für den kirchlichen Gebrauch bestimmt waren. Aber es wäre falsch, dieses Argument zu überschätzen. Ein Großteil der Kunst in romanischen Kirchen ist nicht religiöser Natur, das gilt besonders für die *Bildhauerei*. Über dem Eingang von S. Nicolà in Bari z. B. ist nicht die Geschichte des heiligen Kirchenpatrons dargestellt, sondern eine Episode aus der Artussage. Die gleiche Legende findet sich an der Fassade des Doms von Modena und auf einem Mosaikfußboden in Otranto, dort kommen überdies Helden anderer Epen vor, ähnlich auch am Eingang des Doms von Verona. Am Portal von Sta. Maria la Real in Sanguënsa in Spanien begegnen Szenen aus der skandinavischen Sigurdsage. Einige dieser Helden, wie Roland, galten als Verkörperung christlicher Rittertugenden und konnten daher leicht in die kirchliche Ikonographie Eingang finden. Doch gab es daneben eine Unmenge anderer Themen, die nicht christlich interpretiert werden konnten, Darstellungen aus der antiken Mythologie, aus orientalischen Quellen oder reine Phantasieprodukte. Aber sie alle amüsierten oder erschreckten und kamen dem zeitgenössischen Hunger nach Exotischem, Wunderbarem und Monströsem entgegen. Manche Gelehrte versuchten, in diese Darstellungen irgendeine Symbolik hineinzudeuten, da sie ihrer Vorstellung von einer hochgeistigen, romanischen Kunst zu widersprechen schienen. Aber ein so streng urteilender Zeitgenosse wie Bernhard von Clairvaux wußte nichts von einer symbolischen Bedeutung, als er sie als „deformis formositas ac formosa deformitas" (ungestalte Schönheit und schöne Verunstaltung) verdammte.

Zweifellos waren jedoch nicht alle *nichtreligiösen Darstellungen* bloße Grotesken mit rein dekorativem Zweck; manche Themen wurden wegen ihrer didaktischen und moralischen Bedeutung gewählt. Einen unerschöpflichen Motivschatz, vor allem für die romanischen Kapitelle, boten die *Bestiarien*, in denen wirkliche und phantastische Tiere dargestellt und symbolisch interpretiert sind. Auch antike und spätere *Fabeln* fanden ihren Weg in die Kunst. Aber die Malereien, die die Kirchenwände bedeckten, und die großen Tympana über den Portalen waren grundsätzlich biblischen oder symbolischen Darstellungen gewidmet, daher zeigen die bedeutendsten romanischen Kunstwerke *religiöse Themen*. Diese reichen von schlichten Illustrationen biblischer Ereignisse bis zu sehr komplexen Programmen, deren Bedeutung nicht immer leicht verständlich ist. In der Kathedrale St. Lazare in Autun z.B., in der zahlreiche Kapitelle figürliche Darstellungen tragen, sind zwar die meisten Szenen leicht zu entziffern, ihre Verteilung jedoch bleibt oft unklar. Warum etwa ist zweimal die Versuchung Christi in weit auseinanderliegenden Teilen der Kirche dargestellt?
Manchmal ist die tiefere Bedeutung einer scheinbar willkürlichen Gruppierung zu erkennen, wenn etwa die Geschichte von Kain und Abel und der Selbstmord des Judas nebeneinander dargestellt sind: das Nachbarkapitell zeigt die Personifikationen der Sünden Kains (Jähzorn) und des Judas (Habgier), die von den Tugenden Geduld und Freigebigkeit unterworfen werden. Die beiden Geschichten wurden also wegen ihrer moralischen Belehrung ausgewählt, ähnliches gilt für viele andere Kapitelle. Manche Themen waren von besonderer Aktualität, wie z. B. die Bestrafung des Simon Magus: Simon hatte den hl. Petrus zu bestechen versucht, daher die Bezeichnung *Simonie* für die Sünde des kirchlichen Ämterkaufs. Die Kirchenreformer waren bemüht, dieses Übel auszurotten, daher muß die häufige Darstellung der Geschichte des Simon Magus in der romanischen Kunst als bewußtes, propagandistisches Mittel der kirchlichen Reformpartei verstanden werden.
Die Entwicklung der großen *Portale* im 12. Jh., für die es keine Vorbilder gab, bot Anlaß zu vielen ikonographischen Neuerungen. Da sie zumeist der Übergangsperiode angehören, können sie hier außer acht bleiben. Die Formen, in denen die romanische Kunst sich verwirklichte, variieren beträchtlich von Region zu Region, und sie veränderten sich fortwährend. Die *regionalen Stilunterschiede* hingen weitgehend von vorhandenen Vorbildern ab. In *Deutschland* z.B. entwickelte sich der romanische Stil aus der *ottonischen Kunst*, in der Architektur wie in den figürlichen Künsten. In *Frankreich* waren die Quellen weitaus vielfältiger, daher waren regionale Unterschiede deutlicher ausgeprägt als in Deutschland. Die romanische Kunst *Englands* war zunächst ziemlich einheitlich, da die Eroberer die normannische Version der Romanik einführten, erst allmählich traten auch hier regionale Varianten hervor.
In den beiden vorhergehenden, bedeutenden Epochen, der karolingischen und ottonischen, war der Charakter der Erneuerung zum Teil von politischen Motiven bestimmt. Die karolingische Renaissance versuchte das christliche Imperium Konstantins d. Gr. wiederherzustellen, daher waren ihre Quellen vor allem frühchristlich und römisch. Da die frühottonischen Herrscher die karolingische Vergangenheit wiederzubeleben trachteten, griff auch die Kunst dieser Zeit auf karolingische Vorbilder zurück, byzantinische und antike

Quellen kamen später hinzu. Die künstlerische Erneuerung der Romanik hatte keinen vergleichbaren politischen Hintergrund. Eng verbunden mit der Kirchenreform, war sie inspiriert vom Ideal des wahren, christlichen Lebens. Daher orientierte sie sich nicht an einer einzigen Quelle oder Epoche. Von jedem erreichbaren Vorbild suchte man zu lernen, ob es römisch, barbarisch, byzantinisch, karolingisch oder ottonisch war, und jedes Land, jede Region wandte sich begierig den lokalen Traditionen zu. Die *Skandinavier*, die den Kirchenbau aus Stein erst von Engländern und Deutschen lernen mußten, übertrugen bald die heimische Holzbauweise auf den Kirchenbau und verwendeten dabei erfolgreich den Schnitzdekor der Wikinger. Die *Italiener* dagegen, die im eigenen Land eine Fülle großartiger Bauwerke der Vergangenheit besaßen, entnahmen den römischen Ruinen Säulen und andere Architekturteile für ihre Kirchen. Aber sie waren sich auch des Wertes einiger wohlerhaltener Bauwerke bewußt, und so entstanden Reiseführer, wie die *Mirabilia Urbis Romae*, ein Führer, in dem kurz vor 1143 die Wunder Roms beschrieben wurden. Daher überrascht es nicht, daß die italienische Romanik mehr als jede andere in der Kunst des antiken Rom verwurzelt ist. Selbst in *Frankreich* und *Spanien*, wo *römische Kunstwerke* in geringerer Zahl und meist nur als Ruinen überliefert waren, bildeten sie doch eine der wichtigsten Quellen für die Erneuerung der Architektur und Plastik in der romanischen Epoche.
Neben der Antike waren es zwei bedeutende Kulturkreise, die die romanische Kunst zur Nachahmung herausforderten: *Byzanz* und der *Islam Spaniens* und des *Nahen Ostens*. Handel und andere Kontakte vermittelten islamische Kunstgegenstände nach dem Westen, wie auch eine gewisse Kenntnis der arabischen Baukunst, deren Einfluß in Spanien, Frankreich und Italien wirksam wurde. Doch vor allem war es der griechische Osten, der die westliche Kunst beständig inspirierte. Viele Menschen, darunter Künstler und Stifter, lernten *Konstantinopel* während der *Kreuzzüge* kennen. Die Einahme und Plünderung dieser herrlichen Stadt durch den Vierten Kreuzzug von 1204 war eine beschämende Art zurückzuzahlen, was die westliche Zivilisation diesem großen Zentrum der Kunst und Gelehrsamkeit schuldete. Anfangs entwickelte sich die romanische Kunst unabhängig von byzantinischen Einflüssen, aber seit dem späten 11. Jh. drang Welle auf Welle *byzantinischer Elemente* in den romanischen Stil ein. Da die byzantinische Kunst des 11. und 12. Jh. *spätantike Formprinzipien* bewahrte, hatte ihr Einfluß vor allem den Effekt, die romanische Kunst mit antikisierenden Formen und dem rechten Verständnis des Aufbaus und der Bewegungen des menschlichen Körpers bekannt zu machen. Die byzantinische Darstellung des Gewandes nicht zur Verkleidung, sondern zur Verdeutlichung der dreidimensionalen Räumlichkeit des Körpers war im Grunde den flachen, abstrakten, dekorativen Qualitäten der romanischen Kunst entgegengesetzt. Häufig spiegelt die Kunst des 12. Jh. den Versuch, einen Kompromiß zwischen diesen beiden Tendenzen zu finden. Vermutlich war es der Sieg der antikisierenden Komponente, der zur allmählichen Auflösung der romanischen Kunst führte.
Trotz aller regionalen Unterschiede, die zweifellos in Architektur und Figurenkünsten existieren, hat der romanische Stil gewisse gemeinsame Züge, die es rechtfertigen, ihn als internationalen Stil zu bezeichnen, genauso international wie die römische Kirche selbst. Entgegen der oft geäußerten Ansicht, daß die Menschen des 11. und 12. Jh. isoliert vonein-

ander gelebt hätten, bestanden in Wirklichkeit zahlreiche Kontakte auch zwischen weit entfernten Ländern. Handelsstraßen verbanden Länder und Menschen, Kleriker reisten aus allen Teilen Europas zur Kurie nach Rom, und vor allem waren es *Wallfahrten*, die die Menschen dieses tiefreligiösen Zeitalters an weit entlegene Orte führten. Scharen von Pilgern zogen nach Rom zu den Apostel- und Märtyrergräbern, aber auch zu den Reliquien des hl. Nikolaus in Bari oder zum Heiligtum des Erzengels Michael auf dem Monte Gargano; unterwegs besuchten sie Lucca mit dem Volto Santo, dem wundertätigen Holzkreuz mit dem bekleideten Christus. Zahlreiche Kopien des Volto Santo in England, Katalonien und z. B. im Braunschweiger Dom bezeugen die Wirkung solcher Pilgerreisen ebenso wie die vielen auf Bergen gelegenen Michaelskirchen, z. B. am Mont-Saint-Michel. Die Heiligen Stätten *Palästinas* waren seit der Gründung des Lateinischen Königreichs leichter erreichbar als je zuvor; mit den Reliquienbehältern und anderen Andenken brachten die Pilger auch stilistische und ikonographische Anregungen in ihre Heimat zurück. Einer der meistbesuchten Wallfahrtsorte war *Santiago de Compostela*, das Heiligtum des hl. Jakob, des Schutzpatrons der spanischen Reconquista. Diese galt wie die Kreuzzüge als Heiliger Krieg, und viele Pilger traten in das christliche Heer gegen die Araber ein, wetteifernd mit den Helden der Chansons de Geste, besonders des Rolandslieds, das vom Kampf christlicher Ritter gegen den Islam berichtet. Die Bedeutung Santiagos für die Ausbreitung künstlerischer Ideen und Formen war außerordentlich groß. Klöster und Kirchen, Hospitäler und Brücken, die große technische und künstlerische Verwandtschaft zeigen, entstanden entlang den Routen nach Santiago. Aber wichtig ist nicht nur, daß der gleiche Typus der *Pilgerkirche* in Limoges, Conques und Toulouse und stilistisch ähnliche Skulpturen in Toulouse und Santiago anzutreffen sind, wichtig ist vor allem, daß die Künstler unter den Pilgern Erinnerungen an Kirchen und Kunstwerke aller Art in ihre Heimat mitbrachten und auf ihre eigenen Arbeiten übertrugen. In einem Fall läßt sich die Auswirkung einer Compostelawallfahrt um 1135 konkret nachweisen, nämlich in jener eigenartigen Bildhauerschule in Westengland, die Motive aus Parthenay-le-Vieux, Aulnay-de-Saintonge, Bordeaux und Santiago verwendete. (Vgl. S. 105.)
Der *internationale Charakter der romanischen Kunst* hat verschiedene Ursachen; er beruht auf der verwandten Geisteshaltung aller Menschen ebenso wie auf dem einigenden Einfluß der Kirche und der Mönchsorden und nicht zuletzt auf dem dauernden Austausch künstlerischer Ideen über weite Entfernungen, der durch Reisen und Pilgerfahrten gefördert wurde. Die romanische Kunst kannte keine Landesgrenzen oder nationale Schranken: sie war die Kunst des christlichen Westens.

Es heißt manchmal, einen „romanischen Stil" in der Architektur gäbe es nicht. Tatsächlich haben etwa der *Dom von Pisa* (Abb. 45) und die normannische *Abteikirche St. Etienne in Caen* (Abb. 15, 17), die fast gleichzeitig, 1063 bzw. 1064, begonnen wurden, auf den ersten Blick wenig Gemeinsames. Die großen Unterschiede, die bei romanischen Bauwerken in den Grundrissen, im inneren und äußeren Aufbau, in Raumgliederung und dekorativen Details bestehen, lassen sich nicht leugnen. Und doch sind diese Bauwerke ohne weiteres an bestimmten stilistischen Grundzügen als „romanisch" zu erkennen.

Im 11. und 12. Jh., als im westlichen Europa eine fast fieberhafte Bautätigkeit herrschte, wurden zahlreiche neue Techniken und Pläne experimentell erprobt. Rückgriffe auf Werke früherer Epochen verbanden sich mit der Suche nach Neuem, regionale Traditionen mit den verschiedensten Einflüssen von außen. Bei aller Vielfalt gab es jedoch gemeinsame Ziele und Aufgaben, die zu verwandten Resultaten führten.

Die *Grundrisse* der romanischen Kirchen waren nicht neu. Sie folgten der Tradition der dreischiffigen Basilika mit oder ohne Querhaus und mit einer Apsis im Osten; nur im deutschen Bereich wurden doppelchörige Anlagen mit zusätzlicher Apsis und Querhaus im Westen gebaut. Kirchen im Zentralbauschema, obwohl im ganzen selten (Abb. 50), hatten ebenfalls ältere Vorbilder, wie das Heilige Grab in Jerusalem oder die Pfalzkapelle in Aachen (vgl. Bd. V, Abb. 22). Neu im romanischen Kirchenbau war jedoch die Entwicklung des Ostteils, des *Chores*. Eine Gruppe gestaffelter Apsiden oder ein Chorumgang mit einem Kranz von Radialkapellen verliehen dem Ostteil der Kirche eine zuvor nie gekannte Betonung. Dafür gibt es zahlreiche Gründe: Die Klosterreformen, vor allem die der *Cluniazenser*, erforderten ausgedehnte Chöre für die bereicherte Liturgie; die *Reliquien* wurden nun in Schreinen hinter dem Hochaltar aufgestellt, anstelle des älteren Brauchs, sie in Krypten zu bewahren. Pilgerfahrten wurden immer volkstümlicher, daher mußte der Zugang großer Volksmassen zu den Reliquienschreinen gewährleistet werden. Die *Krypten*, ehemals klein und dunkel, wurden nun zu großen, unterirdischen Hallen (Abb. 31). Die komplexe Anlage des Ostteils der Kirchen umfaßte auch *neue Querhauslösungen* mit anschließenden Apsiden, oft von unterschiedlicher Tiefe. Manchmal wiederholen die Querhäuser die Form des Chorschlusses, so daß ein *Kleeblattgrundriß (Dreikonchentypus)* entsteht (Abb. 22, 33). Das Innere der frühchristlichen Basiliken war gekennzeichnet durch eine rhythmische Abfolge der Säulen, die Mittel- und Seitenschiff trennen. Die romanischen Kirchen gaben dieses Schema nicht völlig auf, doch wurden zugleich neue Lösungen entwickelt. Dazu gehört der *Stützenwechsel* von Säulen und Pfeilern in sich wiederholender Gruppierung. Pilaster oder Halbsäulen, die den Pfeilern vorgelegt waren, wurden nach oben hin verlängert. Auf diese Weise wurde die Kontinuität von Wand und Raum in Einheiten unterteilt. Aufs engste mit diesen Neuerungen waren die *Gewölbe* verbunden. Viele romanische Kirchen hatten nur Halbkuppeln über den Apsiden und Tonnen- oder Kreuzgratgewölbe über den Seitenschiffen. Die Überwölbung großer Spannweiten brachte technische Risiken mit sich, manche Baumeister zogen daher *Holzdecken* vor, die jedoch immer von Bränden bedroht waren. So wurde das *Problem der Wölbung* vordringlich, und auf ver-

schiedenste Weise versuchte man es zu lösen. Am häufigsten wurden *Tonnengewölbe* gebaut, da ihre Konstruktion die einfachste war, in einigen Gegenden, wie etwa in Burgund und der Provence, als *Spitztonne* (Abb. 27). Die Tonnengewölbe wurden oft durch *Querbogen* (*Gurtbogen*, Abb. 7) verstärkt. *Kreuzgratgewölbe* entstehen durch rechtwinklige Durchdringung von zwei Tonnengewölben. Ihr Vorteil liegt darin, daß sie den Schub nach vier Richtungen ableiten. Sie waren daher besonders zur Wölbung rechteckiger Joche geeignet und boten überdies die Möglichkeit, in der oberen Wand des Mittelschiffs Lichtgadenfenster einzufügen. Durch die Erfindung des *Rippengewölbes* als einer logischen Weiterentwicklung des Kreuzgratgewölbes, an dessen Graten Steinbögen konstruiert wurden, war der Boden für weitere revolutionäre Veränderungen, die zur Gotik führten, bereitet. Es wurde üblich, über der *Vierung*, d. h. an der Stelle, an der Langhaus und Querhaus einander durchdringen, einen *Vierungsturm* zu errichten (Abb. 9, 11, 16, 19). Dieser Turm ruht auf einer Kuppel zum Innern hin, die sich bei oktogonalem Grundriß auf Trompen (übereck gespannte Bögen) und bei quadratischem Grundriß auf Pendentifs (Hängezwickel) stützt. Manchmal wurde zur Wölbung des Langhauses eine Reihe von Kuppeln verwendet, so z. B. in einer Gruppe von *Kuppelkirchen* des 12. Jh. in Westfrankreich (Abb. 12).
Die intensive Beschäftigung mit Wölbeproblemen beschränkte sich nicht auf eine einzige Region, wenngleich die frühesten Experimente von Baumeistern des „ersten romanischen Stils“ (frz. = „*premier art roman*“) in der *Lombardei* gemacht wurden. Die Gruppe dieser Kirchen, die vom Ende des 9. bis zur ersten Hälfte des 11. Jh. entstanden, reicht von Norditalien bis Katalonien und dem Rhonetal und Rhein entlang bis zu den Niederlanden (Beispiele: *Cardona* in Katalonien, Abb. 1, 5, 6, und *Tournus* in Burgund, Abb. 2, 7, 9). Allen diesen Kirchen ist – außer bestimmten Dekorationselementen wie den sog. „lombardischen“ Bögen und Pilastern – ein starkes Interesse an Wölbeproblemen gemeinsam. So wurden z. B. in der Abteikirche von *Tournus* drei verschiedene *Wölbesysteme* angewandt (Quer- und Halbtonnen, Kreuzgratgewölbe, Abb. 9). Dem Kreuzgratgewölbe des Mittelschiffs des *Speyerer Doms* vom Ende des 11. Jh. folgten bald ähnliche Lösungen in *Mainz* und *Maria Laach* (Abb. 23), die bezeugen, wie weit verbreitet die Beschäftigung mit diesem drängenden und schwierigen Problem war. Rippengewölbe wurden in der Lombardei vereinzelt schon in der Mitte des 11. Jh. verwendet, doch dabei handelt es sich nur um ein örtlich begrenztes Experiment ohne Nachfolge. Die anglo-normannische Erfindung des *Rippengewölbes* hingegen – nichts deutet darauf hin, daß sie der Lombardei verpflichtet wäre – steht am Anfang einer der folgenreichsten Entwicklungen der mittelalterlichen Architektur.
Obwohl es zu ihren Hauptaufgaben gehörte, dem Bauwerk größere Stabilität zu verleihen, trug die *Wölbung* zugleich auch beträchtlich zur *Raumkomposition* bei. Die Jochteilung, vorbereitet im Stützenwechsel und in der Vertikalgliederung der Wände, setzt sich in den Kreuzgrat- und Kreuzrippengewölben fort. Die Querbogen, die die Halbsäulen oder Pilaster zwischen den Jochen verbinden, verdeutlichen die *Artikulierung der Joche* und vollenden so die Unterteilung des Raumes in stehende Einheiten. Kämpfer und Gesimse ergänzen die Vertikalteilung der Joche in der Horizontalen. Überdies werden Raum und Wand der romanischen Kirche auch durch das *regelmäßige Mauerwerk* mit seinen klaren, rhythmi-

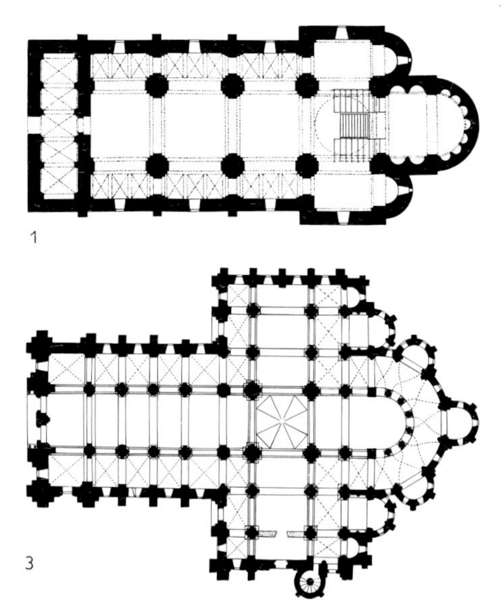

1

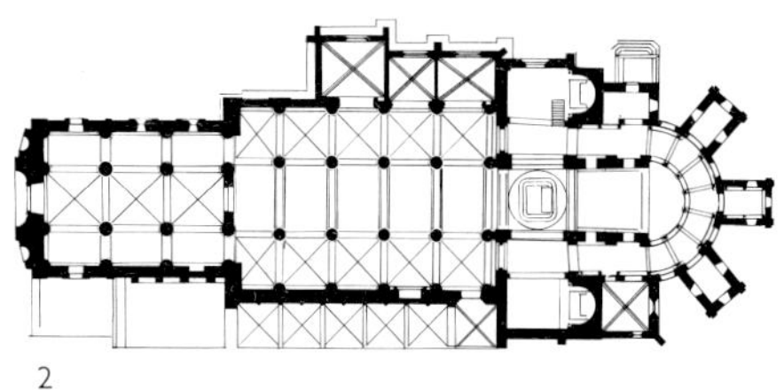

2

3

1 CARDONA, S. VICENTE. Kollegiatkirche. 1020 bis 1040. Grundriß. Beispiel des „ersten romanischen Stils" der Architektur in Katalonien. Das Mittelschiff hat Tonnengewölbe mit Gurtbogen, die Seitenschiffe sind kreuzgratgewölbt. Kuppel über der Vierung. Jeder Querhausarm hat eine Apsis, der Chor endet in großer Apsis mit steilen Nischen im Innern. Das Mittelschiff erhält Licht durch Obergadenfenster. (Vgl. Abb. 5, 6.)

2 TOURNUS, ST. PHILIBERT. Abteikirche. Spätes 10., 11. und 12. Jh. Grundriß. Umgangschor mit 5 Radialkapellen, im 11. Jh. auf früherer Krypta errichtet. Dreischiffiges Langhaus, Querhaus mit 2 Apsiden, zweigeschossige Vorhalle. (Vgl. Abb. 7, 9.)

3 CONQUES, STE. FOY. Abteikirche. 11. und 12. Jh. Grundriß. Typus der Pilgerkirche. Weites Mittelschiff, von Seitenschiffen flankiert, die um Querhaus und Chor fortgesetzt werden (vgl. Abb. 8, 11). Nach ähnlichem Schema wurden gebaut: St. Martin in Tours und St. Martial in Limoges – beide zerstört – sowie St. Sernin in Toulouse und Santiago de Compostela (vgl. Abb. 4, 10).

4 SANTIAGO DE COMPOSTELA. Kathedrale. Längsschnitt der Kirche des 12. Jh. (nach Conant). Baubeginn 1078, großenteils vollendet um 1140. Haupteingang durch Vorhalle des späten 12. Jh., flankiert von 2 Türmen über westlicher Krypta. Breites Mittelschiff mit Emporen und Tonnengewölbe. Dreischiffiges Querhaus mit Turm über der Vierung. Doppelte Zugänge zu jedem Querhausarm, nur der südliche erhalten (vgl. Abb. 10). Geräumiger Chor mit Umgang und 5 Radialkapellen.

4

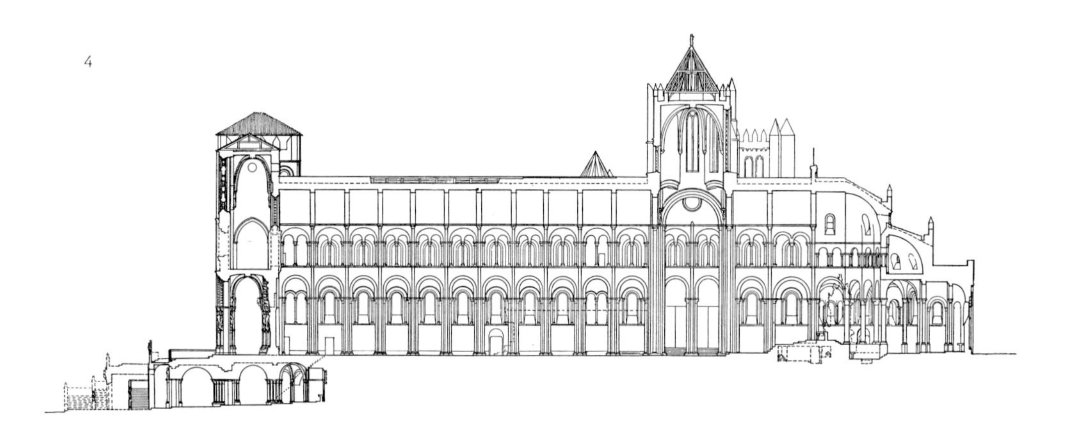

5 Cardona, S. Vicente. Außenansicht der Hauptapsis. Die steilen Pilaster mit den Bogen dicht unter dem Dach und die Blendfenster sind charakteristisch für den „ersten romanischen Stil“. (Vgl. Abb. 1, 6.)

6 Cardona, S. Vicente. Innenansicht mit Vierungskuppel und tonnengewölbtem Chor.

7 Tournus, St. Philibert. Innenansicht des Mittelschiffs nach Osten. Weitentwickelte Kirche des „ersten romanischen Stils“ in Burgund, frühes 11. Jh.; einzelne Teile stammen aus dem späten 10. Jh.; wesentliche Hinzufügungen aus dem 12. Jh. Hohe zylindrische Pfeiler tragen Halbsäulen und Gurtbögen, dazwischen Quertonnen. In der Vorhalle Wölbung des frühen 12. Jh. nach Vorbild des frühen 11. Jh., mit Kreuzgratgewölben und Halbtonnen.

8 Conques, Ste. Foy. Innenansicht nach Osten. Wie in anderen Pilgerkirchen dieser Gruppe große Triforiumsgalerien über den Arkaden. Obergadenfenster fehlen, Licht fällt durch die Fenster der Seitenschiffe und Triforien ein. Tonnenwölbung verstärkt durch Gurtbögen, die auf Halbsäulen ruhen, dadurch zugleich Gliederung der Wand. Vierungskuppel über Trompen, die Figurenskulptur enthalten.

9 Tournus, St. Philibert. Längsschnitt. Die gesamte Kirche ist gewölbt. Hauptsächlich 1. Hälfte 11. Jh. Die Türme erhöht im 12. Jh. (vgl. Abb. 2, 7). Zweiturmfassade und Vierungsturm dieses Typus wurden zu Kennzeichen der großen romanischen Bauwerke in Burgund.

10 Santiago de Compostela. Kathedrale. Innenansicht des Querhauses nach Norden. Ende des 11. Jh. vollendet. Verwandt mit Conques, doch weit größer.

11 Conques, Ste. Foy. Außenansicht von Nordosten. Die schlichte, unter Abt Odolric (gest. 1065) erbaute Kirche wurde unter Abt Bego III. (gest. 1107) erweitert; die Westtürme im 19. Jh. hinzugefügt. Ausgewogene Baugruppe, bekrönt durch oktogonalen Vierungsturm. (Vgl. Abb. 3, 8.)

12 Fontevrault. Abteikirche. Mittelschiff gegen Osten. Die aquitanische Abtei wurde Ende des 11. Jh. als Kloster für Mönche und Nonnen gegründet. Der Ostteil mit Chorumgang und Querhaus war um 1119 vollendet, anschließend wurde das breite einschiffige Langhaus mit 4 Jochen errichtet. Über jedem Joch Pendentifkuppel (teilweise 1910 rekonstruiert). Dieser Typus wurde um 1100 eingeführt, vielleicht aus Zypern. Während des 12. Jh. entstanden in Westfrankreich etwa 80 Kuppelkirchen. (Vgl. Abb. 21.)

13 Saint-Savin-sur-Gartempe. Abteikirche. Mittelschiff nach Osten. Um 1100. Sehr hohe, schwere zylindrische Säulen tragen Tonnengewölbe ohne Gurtbögen. Die Seitenschiffe sind fast gleich hoch wie das Mittelschiff.

14 Paray-le-Monial. Prioratskirche. Innenansicht des Mittelschiffs nach Westen. Um 1100. Erbaut auf Weisung des Abtes Hugo von Cluny. Sehr kurzes Mittelschiff von nur 3 Jochen. Schlichtere Nachahmung von Cluny III (vgl. Abb. 19, 20), das damals im Bau war. Verwandt ist die Verwendung des Spitzbogens für Mittelschiffsarkaden und Wölbung. Auch die antik inspirierten kannelierten Pilaster kommen bei beiden Bauten vor.

15 Caen, St. Etienne. Abteikirche. Mittelschiff nach Osten. 1064 gegründet durch Wilhelm den Eroberer. Dreigeschossigkeit (Arkaden, Triforium, Lichtgaden mit Mauerdurchgängen) ist typisch für normannische Kirchen des 11. Jh. Holzdecke um 1120 durch sechsteiliges Kreuzrippengewölbe ersetzt.

16 Paray-le-Monial, Prioratskirche. Chor und Querhaus von Nordosten. Die gestaffelte Anordnung von Radialkapellen, Chorumgang, Apsis, Chorgiebel und Vierungsturm wiederholt in kleinerem Maßstab Cluny III, 3 statt 5 Chorkapellen, nur 1 Querhaus. (Vgl. Abb. 19.)

17 Caen, St. Etienne. Westfront. Um 1070 und 12. Jh. Mächtige Zweiturmfassade mit schweren Strebepfeilern, wichtiges Vorbild für frühgotische Kirchenfassaden.

18 Poitiers, Notre-Dame-la-Grande. Kollegiatkirche, Westfassade. 2. Viertel 12. Jh. Eine der überreich mit Reliefs geschmückten Schaufassaden des Poitou.

5 ▷

◁ 6 △ 7 ▽ 9 △ 8

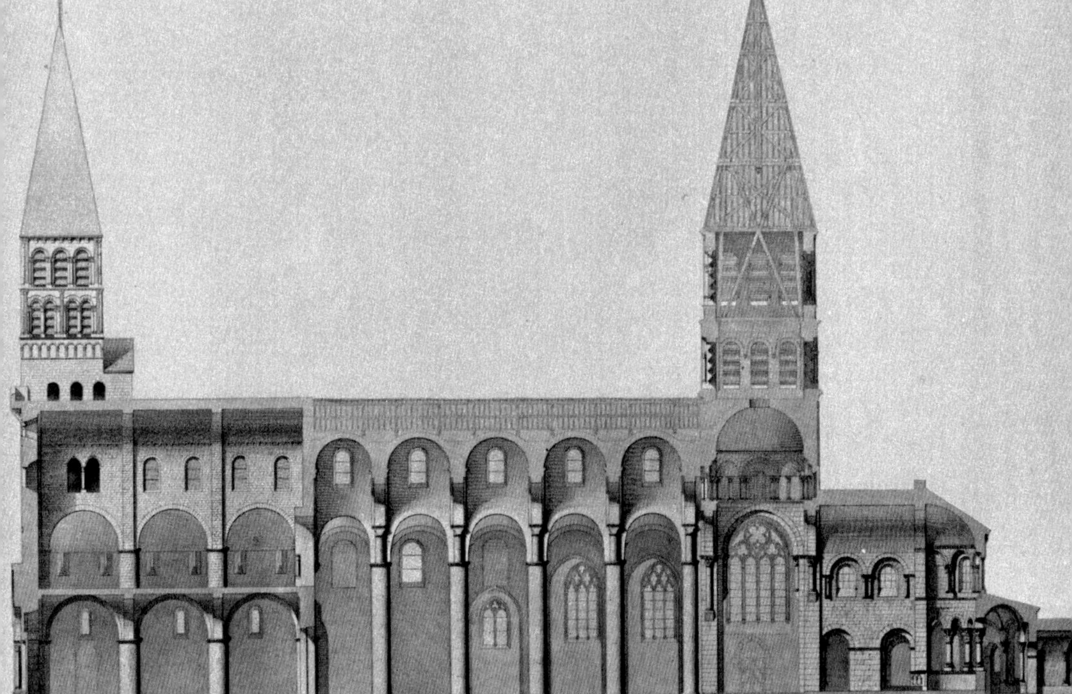

◁ 10

▽ 12

△ 11

▽ 13

△ 14

▽ 16

△ 15 17 ▷

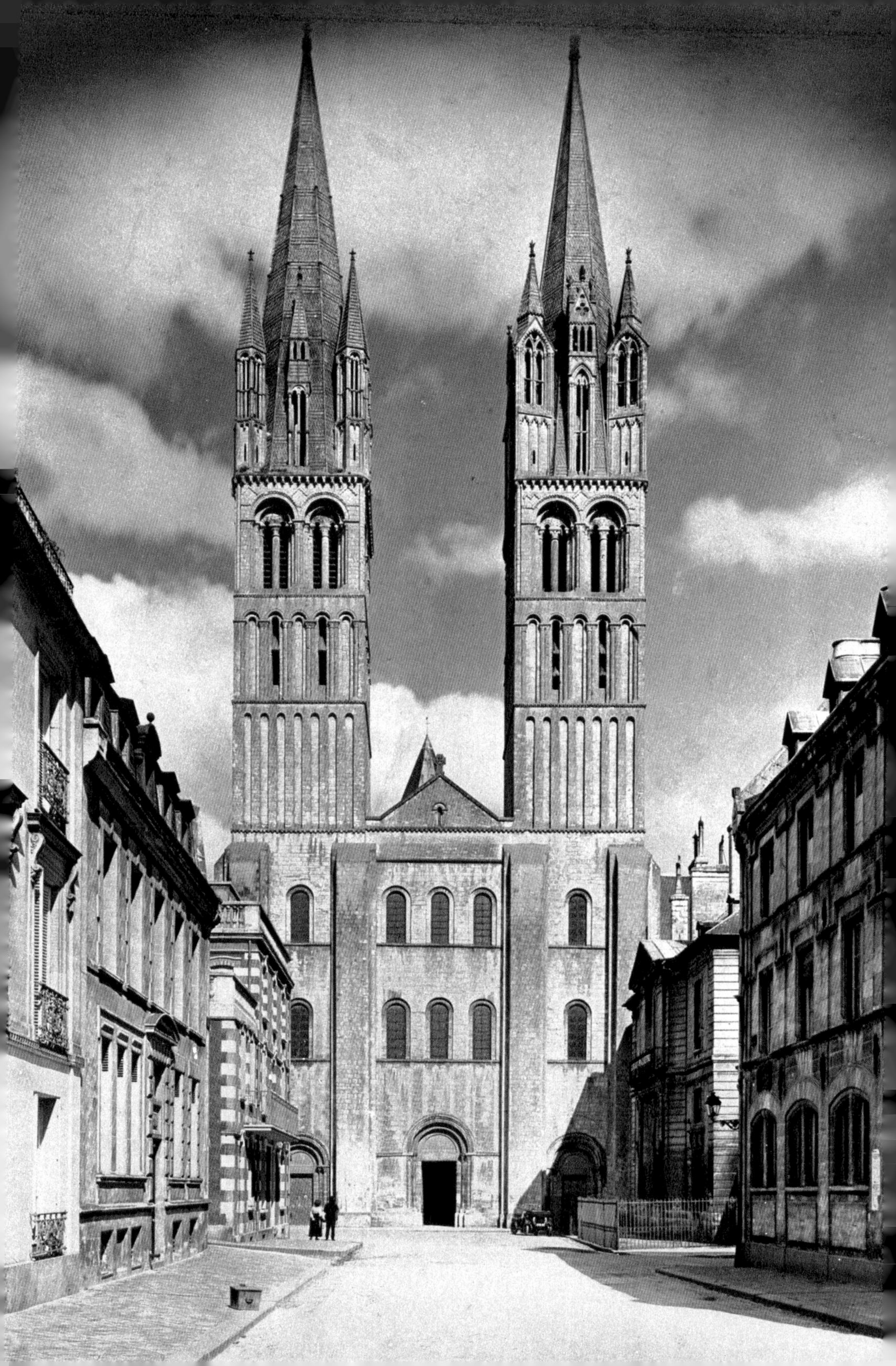

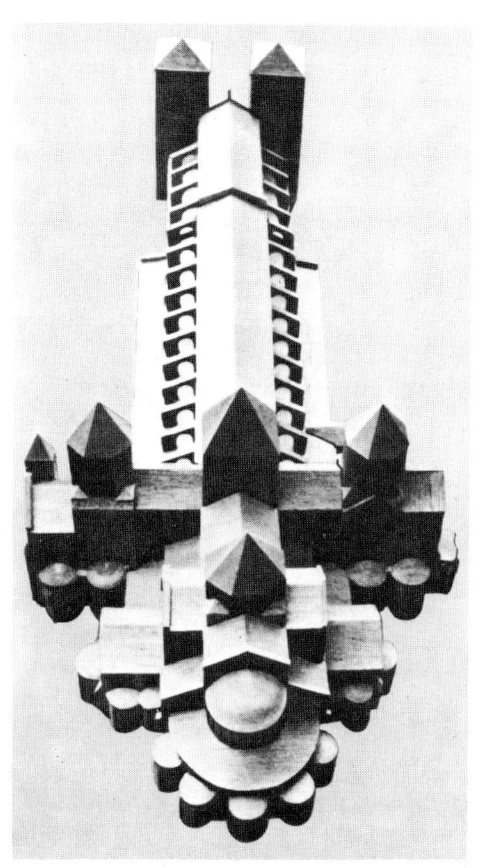

19 CLUNY. Abteikirche. Modell von Cluny III, gesehen von Osten (nach Conant). Baubeginn 1088 unter Abt Hugo. Bei der Vollendung im 12. Jh. die größte aller Kirchen.

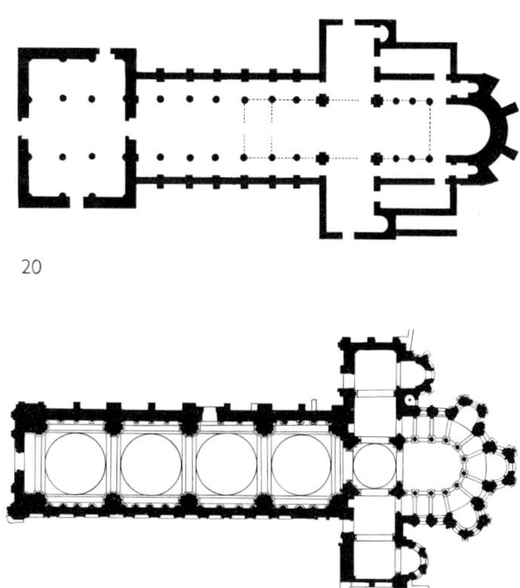

Gewaltiger Chor mit Umgang und 5 Radialkapellen. 2 Transepte, das kleinere mit 2 Apsiden und Vierungsturm, das größere mit 4 Apsiden und 3 Türmen. Fünfschiffiges Langhaus. Längsgerichtete zweigeschossige Vorkirche, 2 Westtürme. Erhalten ist nur ein Teil des kleineren Transepts.

20 CLUNY. Grundriß der Kirche von Cluny III. Conant hat diesen Bau charakterisiert als Verbindung eines Zentralbaus (Apsis, Chor, kleines Querhaus) mit einer Basilika.

21 FONTEVRAULT. Abteikirche. Grundriß. Konventioneller Umgangschor; einschiffiges Langhaus, 4 kuppelgewölbte Joche.

schen Akzenten bestimmt. In frühromanischen Bauten bestand das Mauerwerk aus Bruchstein, aber bald wurden Quadermauern die Regel. Die Bearbeitung aller Steinarten, selbst Marmor und Granit, erreichte im 12. Jh. größte Meisterschaft; die einzelnen Blöcke wurden sorgfältig aneinandergefügt, Bogen, Emporen, Portale und Fensterlaibungen aus Formsteinen gebildet, die ihnen ornamentale Wirkung gaben. Wie die *Raumeinheiten* in einem genau berechneten *Proportionsverhältnis* zueinander stehen, das oft schon im Grundriß angelegt ist, so fügen sich auch alle Einzelteile dem wohlgeordneten Ganzen ein; sie alle ergeben den Eindruck der *Regelmäßigkeit* und *Harmonie*, der die romanischen Bauwerke auszeichnet. Im Außenbau wurde zwei Bauteilen besondere Wichtigkeit beigemessen, dem *Ostteil (Chor)* und der *Fassade*. Die Rundformen der *Apsiden* deuten schon im Äußeren an, ◁ 18 daß sie die Altäre und Reliquienschreine bergen. Die Dächer staffeln sich Stufe für Stufe

von den Apsiden zum Chorraum auf, um von der Masse des *Zentralturms* bekrönt zu werden (Abb. 16, 19). Wie im Innern, so resultiert auch hier die monumentale Gesamtwirkung aus der Summe klar definierter Einzelteile. Die Westfassaden variieren im Typus. *Basilikale Fassaden* wiederholen die Innengliederung wie ein aus solidem Mauerwerk gefügter Querschnitt (Abb. 37, 43). Die *Schaufassaden* dagegen verbergen, was sich hinter ihnen befindet, sie lassen meist die Kirche größer erscheinen, als sie ist (Abb. 18, 44). Bei den *Turmfassaden* flankieren meist zwei Türme den Haupteingang (Abb. 17), doch haben manche Kirchen nur einen mittleren Einzelturm oder aber drei und mehr Türme. In Deutschland gibt es, karolingischer Tradition folgend, einige bedeutende romanische Kirchen mit sechs Türmen (zwei Vierungstürme, zwei an der Westfront, zwei zu seiten des Chors). Nicht alle romanischen Kirchen waren große Abteien und Kathedralen. Die meisten waren vielmehr Dorfkirchen von bescheidenen Ausmaßen, die jedoch häufig eine bedeutende Kirche ihrer Gegend nachzuahmen suchten. Wenn wir hier auch nur einige der großen Kirchen erwähnen können, soll nicht vergessen werden, daß das Gesamtbild ohne diese beachtenswerten kleineren Bauwerke unvollständig wäre.
Aus dem bisher Gesagten wurde deutlich, daß die Baumeister der Romanik bestimmte Interessen teilten und daß sie daher ihren Bauwerken viele gemeinsame Wesenszüge gaben. Die liturgischen Erfordernisse waren überall ungefähr die gleichen, auch dies wirkte sich einigend auf die Architektur aus. Künstlerische Ideen konnten sich durch die Beziehungen von Klöstern und Orden, durch Pilgerreisen, Gesandtschaften und wirtschaftlichen Austausch rasch ausbreiten. Und trotzdem bestehen deutliche Unterschiede zwischen den einzelnen Ländern und Regionen, so daß man nationale und landschaftliche Charakteristika der Architektur unterscheiden kann. Dafür gibt es zahlreiche Gründe: das Vorkommen bestimmter Baumaterialien, lokale Bautraditionen, klimatische Bedingungen und vieles mehr. In Italien fehlten z. B. die Voraussetzungen für die hölzernen *Stabkirchen Norwegens* (*Borgund*, Abb. 60), andererseits hätten dort die in Italien so beliebten Marmorfassaden nicht gebaut werden können. Aber es wäre falsch, dem Material allzugroße Bedeutung beizumessen. Die Normannen brachten nach der Eroberung ganze Schiffsladungen von Steinen aus den Brüchen von Caen nach England. In der Lombardei war Haustein leicht erreichbar, und doch zog man dort meist Backstein als Baumaterial vor. In Ländern mit einer reichen, einheimischen Bautradition blieb während der gesamten romanischen Epoche die Verbindung mit der Vergangenheit lebendig; ihre Eigenart prägte auch die neue Baukunst. So ist die romanische Architektur Italiens aufs stärkste von frühchristlichen, die der Provence von römisch-antiken, die deutsche von karolingischen Bautraditionen geprägt.
Die *Regionalschulen* der romanischen Architektur entfalteten sich während des 11. Jh. und erreichten ihren Höhepunkt im 12. Jh. Zu Beginn der romanischen Epoche, in der ersten Hälfte des 11. Jh., gab es, mit Ausnahme des „ersten romanischen Stils", noch keine eigentlichen Bauschulen. Einige wichtige Kirchen, wie z. B. Cluny II aus dem 10. Jh., übten zwar einen beachtlichen Einfluß aus, aber die politischen und wirtschaftlichen Bedingungen waren noch nicht reif für eine so rasche Entwicklung, wie sie seit etwa 1050 einsetzte. Es können hier nur die wichtigsten Regionalschulen erwähnt werden. Unter den italienischen Schulen ist die früheste und – auch außerhalb Italiens – einflußreichste die der *Lombardei.*

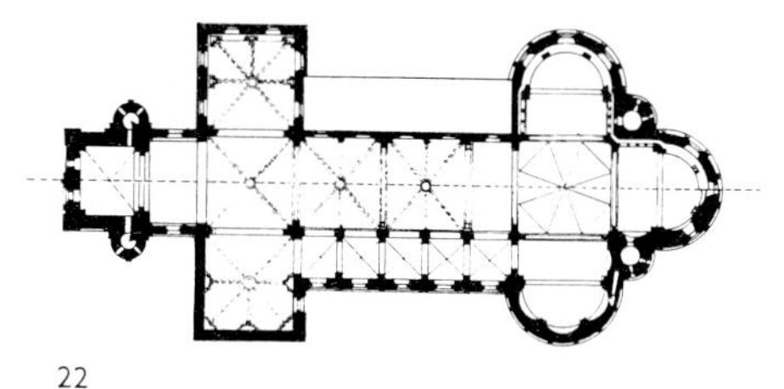

22

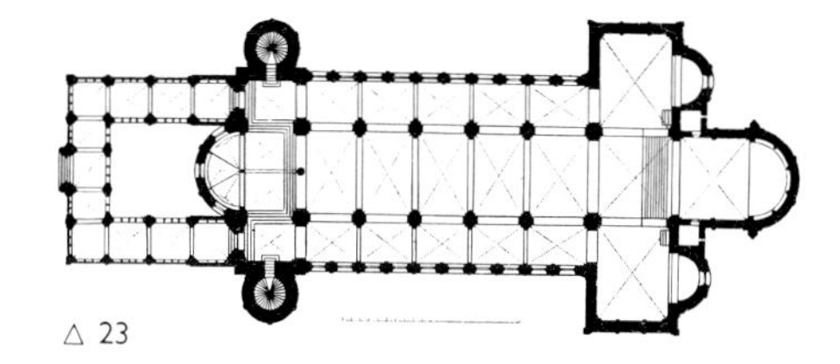

△ 23

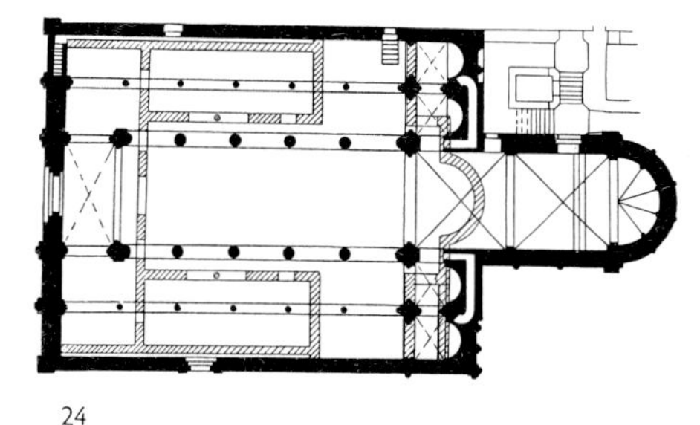

24

▽ 25

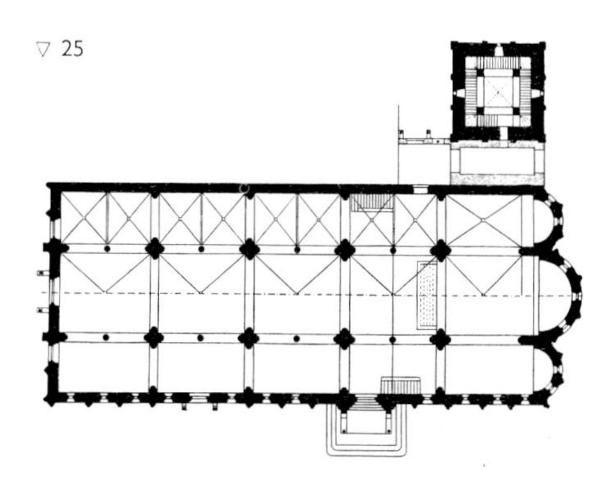

22 KÖLN, ST. APOSTELN. Um 1190. Grundriß. Vereinfachte Version der ersten rheinischen Dreikonchenanlage von St. Maria im Kapitol in Köln um 1040. Massiver quadratischer Westturm, oktogonaler Vierungsturm; 2 Treppentürmchen zu seiten der Ostapsis. (Vgl. Abb. 33.)

23 MARIA LAACH. Abteikirche. Grundriß. 1093 bis 1156 erbaut. Umbau des Ostchors nach 1170. Vorhalle 1220–1230. Basilika mit 2 Apsiden und 2 Querhäusern. 6 Türme.

24 COMO, S. ABBONDIO. Klosterkirche. Grundriß. Baubeginn 1063, Weihe 1095. Fünfschiffige Säulenbasilika ohne Transept. 2 Kapellen flankieren den Chor, jede mit Apsis innerhalb Mauerdicke, darüber schlanke quadratische Türme.

25 MODENA. Dom. Grundriß. Baubeginn 1099 bis um 1120, Architekt Lanfranco. Langhaus von 4 Jochen mit Stützenwechsel. Das Querhaus ragt nicht über den Baukörper vor. 3 parallele Apsiden. Neben Querhaus freistehender Campanile.

26 FONTENAY. Zisterzienserabtei. Grundriß der Klosterkirche und der Konventsgebäude. 1119 durch Bernhard von Clairvaux gegründet. Die 1139–1149 errichtete Kirche ist der älteste erhaltene Zisterzienserbau in Frankreich. Der gerade, rechteckige Chorschluß ist typisch für Zisterzienserkirchen.

27 FONTENAY. Zisterzienserabtei. Mittelschiff nach Westen. Spitztonnenwölbung mit Gurtbogen, cluniazensisch beeinflußt.

28 BEAUVAIS, ST. ETIENNE. Nordtransept. Um 1140. Reiche hochromanische Außengliederung mit Rautengiebel. Die Fensterrose ist mit Relieffiguren als Glücksrad gebildet.

29 ARLES, ST. TROPHIME. Westportal. Um 1170. Das Portal vor der schlichten Steinfassade zeichnet sich durch den Reichtum seiner plastischen Dekoration aus, es ist letztlich von antiken Vorbildern inspiriert.

30 SPEYER. Dom. Hauptapsis und Chor von Osten. Erbaut um 1030 unter Konrad II., bei Umbau unter Heinrich IV. zwischen 1082 und 1106 entstand heutiger Ostteil. Über den Fenstern der Krypta hohe Blendarkaden mit den Apsisfenstern, oben eine ringsumlaufende offene Galerie nach lombardischem Vorbild (Zwerggalerie). Der Giebel ist eine moderne Rekonstruktion. Quadratische Chortürme.

31 SPEYER. Dom. Hallenartige Krypta unter Chor, Querhaus und Apsis. Ansicht nach Osten. Um 1030. Kreuzgratgewölbe mit Gurten aus zweifarbigen Blöcken auf 20 freistehenden Säulen mit Würfelkapitellen.

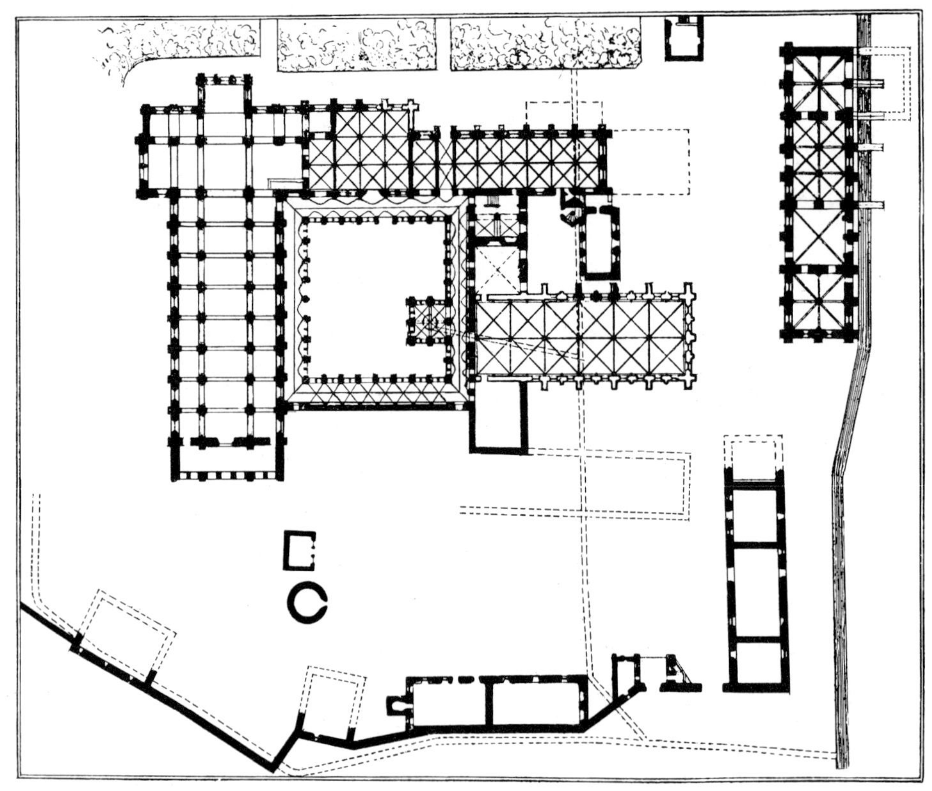

26

32 MAASTRICHT, LIEBFRAUENKIRCHE. Westfront. Frühes 11. und Mitte 12. Jh. Hohes Westwerk, flankiert von 2 Rundtürmen. Verwandtschaft mit Westwerken des 12. Jh., z. B. Maria Laach. (Vgl. Abb. 35.)

33 KÖLN, ST. APOSTELN. Um 1190. Chor von Osten. Die Dreikonchenanlage von Chor und Transept ist mit Chortürmen, wie in Speyer, verbunden und durch Arkaden nach italienischem Vorbild bereichert. (Vgl. Abb. 30.)

34 KÖNIGSLUTTER, ST. PETER UND PAUL. Stiftskirche. Gegründet 1135. Chor von Osten. Der Staffelchor folgt Cluny II, ist aber romanisch durchgebildet und reich durch Bogenfriese auf skulpierten Kragsteinen geschmückt.

35 MARIA LAACH. Abteikirche. Westwerk mit 3 Türmen. 1. Hälfte 12. Jh. Vorhalle („Paradies“) 1220–1230 (vgl. Abb. 23). Karolingische und ottonische Formen durch romanische Bereicherung modifiziert.

36 CASALE MONFERRATO. Kirche. Innenansicht der Vorhalle. 1. Hälfte 12. Jh. Rippengewölbe mit 2 Paaren paralleler Rippen, die sich bei großer Spannweite rechtwinklig überschneiden. Einfluß islamischer Architektur.

37 COMO, S. ABBONDIO. Ansicht von Westen. Die gestaffelte, durch Strebepfeiler unterteilte Fassade spiegelt die fünfschiffige Anlage der Kirche. (Vgl. Abb. 24.)

38 COMO, S. ABBONDIO. Innenansicht nach Osten. Hohe zylindrische Pfeiler mit Würfelkapitellen tragen die Holzdecke. Rippengewölbe über Chorraum und Apsis.

39 MODENA. Dom. Mittelschiff nach Osten. Frühes 12. Jh. Backsteinbau mit äußerer Marmorverkleidung. Der dreigeschossige Aufriß und die dreiteiligen Arkaden der Scheinemporen erinnern an Normannisches. Die Holzdecke über spitzbogigen Gurten im 15. Jh. durch Wölbung ersetzt. (Vgl. Abb. 25.)

△ 27

△ 28

▽ 29

◁ 30 △ 31

△ 32 ▽ 34

△ 33 35 ▷

◁ 36 ▽ 38 △ 37

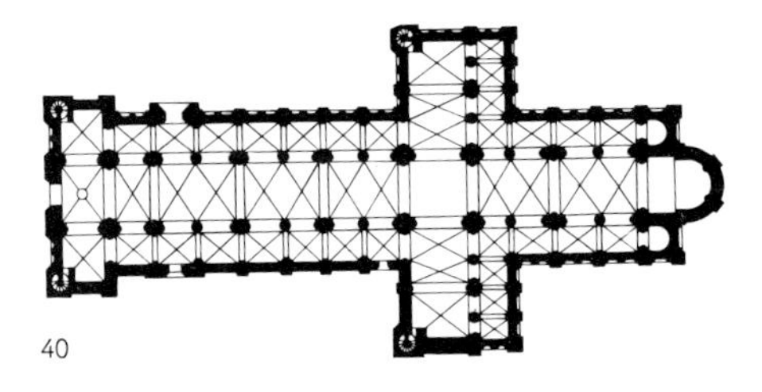

40

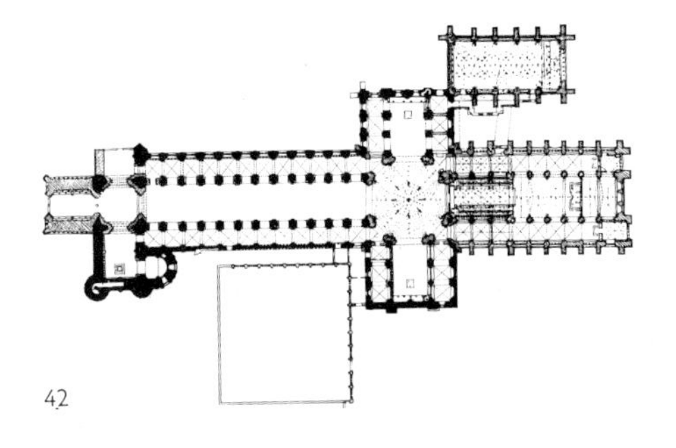

42

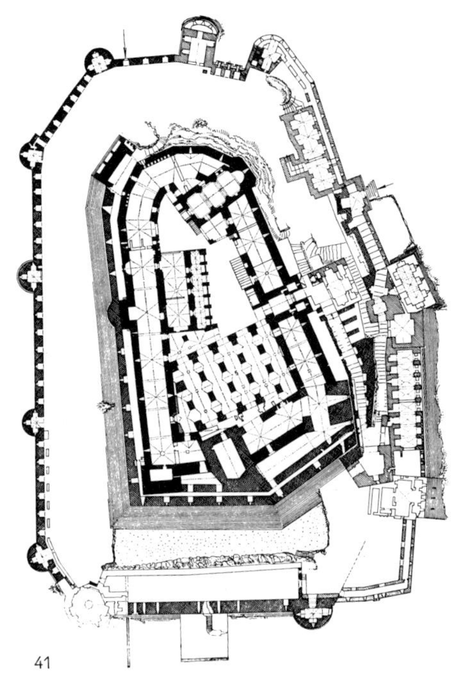

41

40 DURHAM. Kathedrale. Grundriß. Chor errichtet 1093–1104. Langhaus 1133 fertiggestellt. Der Ostteil mit 3 Apsiden wurde im 13. Jh. zerstört und durch einen vergrößerten Chor ersetzt. Die Vorhalle wurde im späten 12. Jh. hinzugefügt. Das Prinzip des Stützenwechsels wurde durchgehend angewandt. 2 Westtürme und 1 Vierungsturm. Durham ist die erste völlig rippengewölbte Kirche (vgl. Abb. 52) in Europa.

41 KRAK DES CHEVALIERS. Burganlage. Grundriß. Mitte 12. und 13. Jh. Erbaut durch die Johanniter. Bei weitgehendem Wiederaufbau nach Erdbeben von 1170 wurde der turmbewehrte äußere Mauerwall hinzugefügt. (Vgl. Abb. 64.)

42 ELY. Kathedrale. Grundriß. Benediktinerabtei, Kathedrale seit 1108, erbaut zwischen 1085 und 1140. Langhaus und Querhäuser erhalten; der Dreiapsidenchor wurde im 13. Jh. vergrößert, der Vierungsturm stürzte im 14. Jh. ein. Das Westtransept, dessen Südarm nicht mehr besteht, mit axialem Turm, im späten 12. Jh. hinzugefügt, ebenso die Vorhalle im frühen 13. Jh.

Aus dem „ersten romanischen Stil" während des 11. Jh. hervorgegangen, weist sie einige hervorstechende Merkmale auf. Einige, wie das *Rippengewölbe* (*Como, S. Abbondio*, Abb. 38), hatten nur lokale Bedeutung, andere, wie die *Schaufassade* (*Pavia, S. Michele*, Abb. 44), der *Kleeblattgrundriß* (*Como, S. Fedele*) und die gedeckten *Außengalerien*, die aus den „lombardischen Bögen" hervorgingen, breiteten sich auch in anderen Gebieten aus. Die *Schaufassaden Westfrankreichs* stehen offensichtlich in Beziehung zur Lombardei, während der *Kleeblattgrundriß* und die *Außengalerien* (sog. *Zwerggalerien*, Abb. 30, 33) im Rheinland übernommen wurden. Die Nachbarprovinz *Emilia* besitzt eine Reihe bedeutender, romanischer Kirchen mit *dreigeschossigem Aufriß* (*Modena, Dom*, Abb. 39) und zum Teil mit *Zweiturmfassaden*, beides ist für Italien ungewöhnlich. Ihr Einfluß reichte sehr weit, da sie

◁ 39

an der Via Emilia, der Hauptstraße von Norden nach Rom, lagen. Die *toskanische Schule*, deren Zentren Florenz, Pisa und Lucca waren, empfing starke Einflüsse aus antiken Traditionen, die sich mit lombardischen Elementen mischten. Die prachtvollen Marmorkirchen mit inkrustierten, polychromen Fassaden in *Florenz* (*S. Miniato*, Abb. 46) und die arkadengeschmückten Fassaden von *Pisa* (Abb. 45), *Lucca* (*S. Michele*, Abb. 48) und *Pistoia* sind die hervorragendsten Monumente dieser Schule. In *Rom*, mit seiner Fülle von Zeugnissen der Vergangenheit, blieb die Baukunst konservativ, in der Geschichte der romanischen wie auch der gotischen Architektur hat Rom daher keine große Bedeutung.
Süditalien und *Sizilien* kamen im 11. Jh. durch die normannische Eroberung in Berührung mit der romanischen Kunst. Die Architektur *Apuliens*, mit *Bari* als Zentrum, stellt eine Mischung normannischer, toskanischer, lombardischer und lokaler Elemente dar. Die Kirche *S. Nicolà in Bari*, 1096 errichtet, wurde ein vielbesuchter Wallfahrtsort, ihr Einfluß auf die Architektur und Plastik der Umgebung war außerordentlich groß. Selbst der dreigeschossige Aufriß des Doms von Modena in der Emilia (Abb. 39) ist dem Einfluß von S. Nicolà in Bari zuzuschreiben. Sizilien wurde unter der Herrschaft der *Normannenkönige* zu einem der glänzendsten Kunstzentren, dessen Mosaiken wohl am besten bekannt sind (vgl. Bd. IV, Abb. 150, 152). Aber wie diese, so sind auch einige der Bauwerke griechisch. Die großen romanischen Kathedralen von *Cefalù*, *Palermo* und *Monreale* (Abb. 47) verbinden Monumentalität mit einer nahezu orientalischen Vorliebe für reichen Dekor. Es ist nicht geklärt, ob die bevorzugten Ziermotive, die einander überschneidenden Bogen und das Zickzackband, aus der Normandie nach Sizilien kamen oder aus der islamischen Kunst stammen. Einige Bauformen, z. B. die wabenartigen Dächer, sind jedoch sicher islamisch (vgl. auch das oberitalienische *Casale Monferrato*, Abb. 36). *Venedig* gehörte während des 11. und 12. Jh. mehr zum byzantinischen als zum romanischen Kunstbereich, aber in *Dalmatien* ist eine Mischung italienischer Elemente aus der Lombardei, Emilia und Apulien festzustellen. Von Dalmatien aus drangen auch vereinzelt romanische Züge in die im übrigen byzantinische Baukunst Serbiens vor.
Im Jahr 987 bestiegen die Kapetinger den französischen Thron, aber es dauerte noch mehr als hundert Jahre, bis eine gewisse Einheit der verschiedenen, unabhängigen Provinzen hergestellt war. Die politische Gespaltenheit Frankreichs spiegelt sich auch in der Architektur. Als einigende Kraft wirkte jedoch die Kirche mit ihren Orden über die Territorialgrenzen hinaus. In der *Frühromanik*, in den ersten drei Vierteln des 11. Jh., breitete sich der „erste romanische Stil" von der Mittelmeerküste bis nach Norden aus (*Tournus*, Abb. 2, 7, 9). Die *Klosterreform*, die von Burgund nach der Normandie übergriff, hatte die Übernahme einiger Architekturformen im Gefolge. Die Zentren der Klosterreform wurden auch Mittelpunkte baulicher Aktivität. In dieser Periode befanden sich die meisten späterhin typischen Grund- und Aufrisse noch in einem experimentellen Stadium. Der gestaffelte Grundriß der Kirche von *Cluny II* des 10. Jh., der sog. *Benediktinerplan*, wurde auch später oft wiederholt. Als fruchtbarster Grundrißtypus erwies sich jedoch der *Umgangsplan* (die Seitenschiffe werden um Querhaus und Chor herumgeführt), der vermutlich erstmals 946 für die Krypta der Kathedrale von *Clermont-Ferrand* verwendet wurde. Dieser Grundrißtyp wurde für eine ganze Reihe von Kirchen im Loiregebiet (z. B. *Tours*, *Orléans*) und auch in

anderen Regionen und Ländern übernommen, so z. B. für alle großen *Pilgerkirchen* längs der Route nach Santiago de Compostela (*Limoges*, *Conques*, Abb. 3, *Toulouse* und *Santiago* selbst, Abb. 4). Noch *Cluny III*, 1088 begonnen, folgte dem gleichen Schema (Abb. 19, 20). Von Cluny III, der bedeutendsten Kirche in Burgund, einer der größten Bauleistungen der romanischen Architektur überhaupt, blieb nur ein geringer Rest erhalten. Clunys Wirkung war außerordentlich groß, auch wenn es nur vereinfacht nachgeahmt werden konnte, so in *Paray-le-Monial* (Abb. 14, 16) und in *Lewes* in England. Einige burgundische Kirchen, wie die Kathedrale von *Autun* oder die Abtei *Vézelay*, übernahmen nur bestimmte Details aus Cluny III. Autun etwa hat wie Cluny einen Lichtgaden trotz des Spitztonnengewölbes und eine Tiforiumgalerie. Als die Abteikirche von Cluny III in der zweiten Dekade des 12. Jh. vollendet war, hatte bereits der Niedergang des Cluniazenserordens begonnen, an seine Stelle traten die *Zisterzienser*. Sie übernahmen von der *Cluniazenserarchitektur* den *Spitzbogen*, entwickelten aber einen ganz neuen Grundriß für ihre Kirchen mit rechteckigem Chorschluß (ältestes erhaltenes Beispiel: *Fontenay*, Abb. 26, 27). Von *Burgund* ausgehend, gewann die *Zisterzienserarchitektur* größten Einfluß überall im romanischen Europa. Die ungeheure Ausbreitung des Ordens fiel mit den Anfängen der *Gotik* zusammen, daher wurden die Zisterzienser für manche Gebiete Europas die ersten Mittler frühgotischer Architekturformen.

In der *Provence*, wo wie in Burgund häufig Spitztonnen verwendet wurden, haben die Kirchen oft verhältnismäßig bescheidene Ausmaße. Ihr auffallendstes Kennzeichen ist der *Skulpturenschmuck*, der auf antike Vorbilder zurückgeht (*Arles*, *St. Trophime*, Abb. 29). Die Hauptzentren der westfranzösischen Schule lagen im Herrschaftsbereich der Herzöge von *Aquitanien*. Dort wurden zwei Kirchentypen bevorzugt. Der eine ist die *dreischiffige, tonnengewölbte Kirche* mit sehr schmalen, hohen Seitenschiffen (*St.-Savin-sur-Gartempe*, Abb. 13). Der andere Typus hat keine Seitenschiffe. Langhaus und Querhaus – soweit vorhanden – sind mit einer Reihe von *Kuppeln* eingewölbt (*Fontevrault*, Abb. 12, 21). Die Westfront dieser Kirchen ist meist als *Schaufassade* mit sehr reichem plastischem Schmuck ausgebildet. Andere bedeutende *Regionalschulen* des französischen Bereichs entwickelten sich in

43 VERONA, S. ZENO. Ansicht von Südwesten. Erweiterung eines älteren Baus, um 1138 vollendet. Backstein, außen mit Marmor verkleidet. Gestaffelte „basilikale“ Fassade, ähnlich Como, S. Abbondio (vgl. Abb. 37), aber reicher dekoriert mit Blendarkaden, Bogenfriesen, Rosenfenster des späten 12. Jh.; Portal durch Steinbaldachin betont.

44 PAVIA, S. MICHELE. Westfront. 1. Viertel 12. Jh. Alle drei Fassadenabschnitte unter großem Arkadengiebel mit wenigen Fenstern zusammengefaßt. Drei tief eingeschnittene Portale von Skulpturen umrahmt. Reliefbänder überziehen die Schaufassade.

45 PISA. DOM, BAPTISTERIUM UND CAMPANILE. Ansicht von Südwesten. Die Kathedrale in fünfschiffigem basilikalem Typus wurde 1063 begonnen und 1118 geweiht. Erweiterung des Langhauses nach Westen 1170 vollendet. Baubeginn des Baptisteriums 1153, des Campanile 1173, beide erst später fertiggestellt. Komplex von Marmorgebäuden unter reicher Verwendung kleinteiliger Blendarkaden und offener Galerien.

46 FLORENZ, S. MINIATO AL MONTE. Benediktinerkirche. Westfront. 1018 begonnen. Basilikale Fassade mit mehrfarbiger Marmorverkleidung in geometrischen Mustern,

Mitte 12. Jh. Der Farbeffekt wird verstärkt durch die Verwendung von Mosaik über dem Fenster.

47 MONREALE. Kathedrale. Zentrale und südliche Apsis. 1174–1182. Dieser Dekorationstypus war den Normannen aus ihrer Heimat vertraut, die reiche polychrome Wandmusterung hat jedoch islamische Vorbilder.

48 LUCCA, S. MICHELE. Westfassade. Ende 12. Jh. Spätes Beispiel einer toskanischen Fassade mit unterer Blendbogengliederung, darüber Zwerggalerien in vier Geschossen. Einfluß der Domfassade von Pisa (vgl. Abb. 45). Die reiche Marmorinkrustation wurde durch orientalische Textilmuster angeregt.

49 TROIA. Kathedrale. Westfassade. Das Untergeschoß wurde 1093 begonnen, inspiriert vom Pisaner Dom (vgl. Abb. 45). Das Obergeschoß mit dem Rosenfenster erst um 1200 aufgesetzt.

50 ALMENNO SAN BARTOLOMEO, S. TOMASO. Westansicht. Spätes 11. Jh. Beispiel der romanischen Rundkirche in der Lombardei. Im Innern Kuppel mit Laterne auf 8 Säulen und Empore. Die äußere Gliederung mit Halbsäulen und Bogenfries erinnert an den „ersten romanischen Stil“. (Vgl. Abb. 5.)

51 LONDON, ST. JOHANNESKAPELLE IM WEISSEN TOWER. Innenansicht nach Osten. Erbaut durch Wilhelm den Eroberer um 1080. Burgkapelle neben großer Halle, Teil des Hauptturms. Nüchterne, schwere Konstruktion mit Tonnengewölbe über dem Mittelschiff und Triforium, Kreuzgratgewölbe in den Seitenschiffen.

52 DURHAM. Kathedrale. Mittelschiff nach Osten. Frühes 12. Jh. Das Rippengewölbe mit Querbogen ruht auf massiven Mauern und wechselnden Verbund- und Zylinderstützen. Unter dem Dach der Seitenschiffe entlasten Halbbogen die Gewölbe. Typisches Zackenmuster an Rippen, Bogen und Säulen.

53 ELY. Kathedrale. Nordseite des Mittelschiffs, von Osten. 1. Hälfte 12. Jh. Anders als in Durham war keine Wölbung des Langhauses geplant; hohe Dienste nur zur Wandgliederung.

54 TEWKESBURY. Abteikirche. Südseite des Mittelschiffs nach Osten. Baubeginn um 1087, im frühen 12. Jh. vollendet. Gewölbe wurden im 14. Jh. hinzugefügt. Schlanke zylindrische Stützen, darüber niedere Mauerpassage und Lichtgaden. Querhaus und Chor viergeschossig durch Emporen zwischen den Arkaden.

55 TOURNAI. Kathedrale. Mittelschiff nach Osten. 1. Viertel 12. Jh. Viergeschossig mit starker Betonung der horizontalen Bogenreihen. Ursprünglich Holzdecke. Frühgotischer Dreiapsidenchor.

56 JERICHOW. Prämonstratenserabtei. Ansicht von Nordosten. 3. Viertel 12. Jh. Frühester romanischer Backsteinbau nördlich der Alpen unter Einfluß der Lombardei.

57 KALUNDBORG. Kathedrale. Ansicht von Nordosten. Baubeginn um 1170. Reiner Backsteinbau. Zentralbau mit 5 Oktogonaltürmen. (Vgl. Abb. 65.)

58 KUTTENBERG (KUTNA HORA), ST. JAKOB. Um 1165. Ansicht von Süden. Einschiffige Kirche mit Turm, reicher Skulpturenschmuck. Weitverbreiteter Typus der spätromanischen Dorfkirche.

59 STRZELNO, ST. PROCOPIUS. Um 1160. Ansicht von Nordwesten. Baumaterial Granit. Rundbau mit 2 Apsiden an der Nordseite, rechteckiges Sanktuarium und runder Westturm.

60 BORGUND. Stabkirche. Um 1175. Ansicht von Süden. Eine von vielen norwegischen Holzkirchen. Die Konstruktion besteht aus verbundenen Rundhölzern, die durch Schindelverkleidung geschützt sind.

61 FONTEVRAULT. Abtei. Küchengebäude. Mitte 12. Jh. Restauriert. Oktogonalgrundriß mit Apsiden an jeder Seite. Jede Apsis enthält eine Feuerstelle und ist mit einem konischen Dach und durchbrochenem Kaminaufsatz bekrönt. Weitere Kamine umgeben das Pyramidendach.

62 CONISBOROUGH. Burgturm („Keep“). 1180 bis 1190. Rundbau mit schweren Strebepfeilern, die von Türmchen bekrönt sind. Er enthielt Brunnen, Vorratsräume, Wohnraum, Kapelle und Schlafraum. Die Turmaufsätze dienten als Zisternen, Backofen oder Taubenschlag.

△ 43 ▽ 44

△ 45 ▽ 46 ▽ 47 48 ▷

49 50 ▷

◁ 51 △ 52 ▽ 54 △ 53 ▽ 55

△ 56

▽ 57

▽ 58

△ 59

△ 60

▽ 61

▽ 62

△ 63 ▽ 64

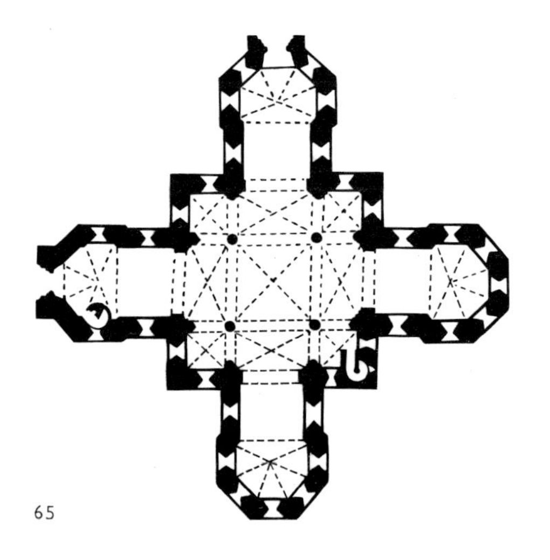

65

63 San Gimignano. Gesamtansicht der Stadt mit Türmen des 12. und 13. Jh. Diese Türme dienten der Verteidigung und als Zuflucht bei Feuersgefahr.

64 Krak des Chevaliers. Burganlage von Südwesten mit keepähnlicher Hauptbefestigung in der Oberburg und turmbewehrtem Befestigungswall in der Vorzone. (Vgl. Abb. 41.)

65 Kalundborg. Kathedrale. Grundriß. Quadratisches Zentrum mit 4 Granitsäulen, die Wölbung und Vierungsturm tragen. Die 4 Arme enden in fünfseitigen Apsiden, auf denen Oktogonaltürme ruhen. (Vgl. Abb. 57.)

der *Auvergne*, im *Languedoc*, in der *Champagne* und in *Nordfrankreich*, aber die wichtigste und fortschrittlichste war die der *Normandie*. Im Grundriß folgen die normannischen Kirchen sowohl dem Benediktinerplan als auch dem Umgangstypus. Alle Hauptkirchen sind dreigeschossig mit betontem Triforium (Arkadengalerie) sowie Lichtgaden mit Mauerdurchgängen. Dienste und Stützenwechsel betonen die Unterteilung der Joche (*Caen, St. Etienne*, Abb. 15). An der Westfassade stehen zwei mächtige Türme (Abb. 17), und auch der Vierungsturm ragt wuchtig auf. Die normannische Schule war schon voll entwickelt, als sich 1066 durch die Eroberung Englands neue Möglichkeiten für ihre weitere Ausbreitung ergaben (Abb. 51). Die *anglo-normannischen Kirchen* übertreffen die der Normandie bei weitem durch ihre gigantischen Ausmaße. Ihr Erfindungsreichtum wird am besten mit der Kathedrale von *Durham* (Abb. 40, 52) illustriert, die 1093–1153 völlig mit Rippen gewölbt wurde. Eine Gruppe von Kirchen mit viergeschossigem Aufriß in Westengland (*Tewkesbury*, Abb. 54, Gloucester u. a.) bezeugt ebenfalls die Originalität der anglo-normannischen Baumeister. Ihre beiden Erfindungen, das *Rippengewölbe* und der *viergeschossige Aufriß*, trugen wesentlich zur Entwicklung der gotischen Architektur in Nordfrankreich bei (*Tournai*, Abb. 55). Aber die englische romanische Architektur wurde nicht nur aus einer einzigen Quelle gespeist. So zeigen z. B. die Fassaden der Kathedralen von *Lincoln* und *Ely* (Abb. 42, 53) eher den Einfluß deutscher als französischer Architektur. Die *deutsche romanische Architektur* ging aus der *ottonischen Architektur* (vgl. Bd. V, S. 118 ff.) hervor, diese entspricht der frühromanischen Periode anderer Länder. Die enge Beziehung zu karolingischen Bauformen gab den großen deutschen Kirchen, besonders des Rheinlands, ihren bestimmenden Charakter (*Maria Laach*, Abb. 23, 35). Häufig verwendet wurden *Westwerke, doppelchörige Anlagen, mehrere Türme* und das *gebundene System mit Stützenwechsel*, bei dem zwei gewölbte Joche der Seitenschiffe einem des Mittelschiffs entsprechen. Die größten Leistungen der deutschen romanischen Architektur sind die *Kaiserdome*, *Speyer* (Abb. 30, 31) an der Spitze mit seinen monumentalen Proportionen und seiner technischen Kühnheit (Kreuzgratgewölbe über dem Mittelschiff, um 1080–1100). Zur französischen romanischen Architektur bestanden auffallend geringe Verbindungen, mit Ausnahme der sog. *Hirsauer Schule*, die unter dem Einfluß der von *Cluny* ausgehenden Klosterreform stand (*Königslutter*, Abb. 34). Viel enger waren die Beziehungen zwischen der Lombardei und Deutschland, zu gegenseitigem Nutzen. Wie etwa das Turmsystem von *S. Abbondio in Como* (Abb. 24) nördlichem Einfluß verpflichtet ist, so stammen die offenen Außengalerien von *Speyer* (Abb. 30) aus Italien. Solche *Zwerggalerien* wurden ein typisches Merkmal der deutschen romanischen Architektur, man findet sie bis nach Skandinavien (Kathedrale von *Lund* in Schweden). Wichtige *deutsche Regionalschulen* waren die *niederrheinische*, zu der auch das *Maasgebiet* gehörte (*Maastricht*, Abb. 32), die *westfälische*, die *niedersächsische* und die *süddeutsche*, die auch das Elsaß, die Schweiz und Österreich umfaßt. Der Einflußbereich der deutschen romanischen Baukunst erstreckte sich sehr weit, vom Elsaß und den Niederlanden bis nach *Dänemark* (*Kalundborg*, Abb. 57, 65), *Polen* und *Ungarn* (Abb. 58, 59). In *Schweden* und *Norwegen* mischten sich deutsche Bauelemente mit solchen der anglo-normannischen Schule. In *Spanien*, wo die christliche Rückeroberung (Toledo wurde 1085 eingenommen) der künstlerischen Aktivität neue Territorien erschloß, entwickelte sich die romanische Architektur folgerichtig aus dem „ersten romanischen Stil" Kataloniens und der mozarabischen Baukunst des 10. Jh. Aber die Ausbreitung der Cluniazenserreform und die Pilgerfahrten nach Santiago de Compostela brachten Spanien in engere Verbindung zum übrigen Europa. Daher zeigen die romanischen Kirchen Spaniens Wesenszüge lokaler Eigenart, vermischt mit solchen fremder Herkunft, besonders aus Frankreich und in geringerem Maße auch aus Italien. Die Kathedrale von *Santiago de Compostela* (Abb. 4, 10) gehört – abgesehen von einigen dekorativen Einzelheiten, die aus der islamischen Kunst stammen – zur Gruppe der *Pilgerkirchen* (Typus *Conques*, vgl. Abb. 3).

Mit der Entstehung der *Frühgotik* in der Mitte des 12. Jh. in der Ile-de-France kam die weitere Entwicklung der romanischen Architektur keineswegs zum Stillstand; selbst in *Frankreich* blieb die Ausbreitung des neuen Stils zunächst auf die nördlichen Gebiete beschränkt. Das Ende der romanischen Baukunst variiert daher von Region zu Region. In *Deutschland* und *Italien* verlängerte der Widerstand gegen das Vordringen der französischen Gotik die Lebensdauer der Romanik bis ins 13. Jh.

Die *Profanarchitektur* der Romanik ist nur sehr unvollständig überliefert, denn zahlreiche Bauwerke, die vorwiegend wirtschaftlichen (*Fontevrault*, Küchengebäude, Abb. 61) oder militärischen Zwecken dienten (*San Gimigniano*, Abb. 63), waren dem Wechsel der Zeiten weit mehr ausgeliefert als etwa die Kirchen. Die bedeutendsten Profanbauwerke der Romanik waren *Burgen*, darunter einige von imposanter Größe. Sie wurden als Zentren der Feudalherrschaft errichtet, als Wohnsitz und zur Verteidigung, und zugleich als Ausdruck einer Herrschaftsidee. Von den verschiedenen romanischen Burgtypen seien nur die *englischen* erwähnt, die aus Verteidigungsgründen auf einen Hauptturm (engl. = „*keep*", *Conisborough*, Abb. 62) angewiesen waren, sie wurden von den Normannen eingeführt und im 12. Jh. weiterentwickelt. Im *Heiligen Land* wurde das System der Burgbefestigung durch die *Kreuzritter* revolutioniert. Sie bauten riesige Befestigungsanlagen mit konzentrischen Wällen, Gräben und Mauern, die durch zahlreiche Verteidigungstürme verstärkt wurden (*Krak des Chevaliers*, Abb. 41, 64).

PLASTIK

Der Begriff „Romanische Skulptur" wird häufig mit der Vorstellung eines großen Kirchenportals assoziiert, das beherrscht wird von einem Tympanon mit einer apokalyptischen Vision, meist dem Jüngsten Gericht, oder anderen biblischen Themen. Moissac, Autun und Vézelay sind die bekanntesten Beispiele solcher Portale, die krönende Vollendung einer langen Entwicklung. Viele bescheidenere Werke mußten von Generationen von Bildhauern geschaffen werden, ehe eine derartige Höhe erreicht war. Denn für die Bildhauerei gilt ebenso wie für die anderen Kunstgattungen: mit dem Zerfall der karolingischen Reichseinheit setzte ihr Niedergang ein, bis sie fast völlig verschwand. In dieser dunklen Zeit hielt man die Bildhauerei für überflüssigen Luxus. Doch als die Zustände sich wieder gebessert hatten und – um einen Ausspruch des cluniazensischen Chronisten Raoul Glaber aus der Zeit um 1002 zu zitieren – „die Erde sich überall mit dem weißen Gewand der Kirchen schmückte", gab es für die Bildhauer wieder Arbeit genug.

Während der *Frühromanik* müssen zwei getrennte Entwicklungslinien der Bildhauerei unterschieden werden: die *Bauplastik* und das *bildhauerische Kunsthandwerk* zur Herstellung von Kirchenmobiliar und liturgischen Objekten. Die Bildhauer spezialisierten sich auf eine der beiden Gattungen, und jede Gruppe arbeitete mit unterschiedlichen Bedingungen, entsprechend ihren verschiedenen Traditionen und Zielen.

Die *Bildhauer*, deren Aufgabe es war, Kirchenmöbel zu schnitzen und kostbare Luxusgegenstände zu schaffen, wie Buchdeckel aus Elfenbein, hölzerne Kultbilder, die mit Edelmetallfolien bedeckt wurden, Reliquienschreine, Taufbecken, Bischofsthrone und die zahlreichen, zur Liturgie erforderlichen Gegenstände, hatten Zugang zu den Kirchenschätzen, soweit sie Plünderungen und Zerstörung überdauert hatten; in Technik und Stil folgten sie diesen alten Vorbildern. Die Herstellung kirchlicher Luxusgegenstände wurde rasch wieder üblich, und schon im 10. und 11. Jh. war wieder ein ansehnlicher Standard erreicht.

Besonders im *ottonischen Deutschland* entfaltete sich das Kunsthandwerk zu einer außerordentlichen Blüte, die den Meisterleistungen früherer Epochen durchaus ebenbürtig war. Dies gilt für die Bearbeitung von Elfenbein, Metall aller Art – Treibarbeit und Guß –, für die Holzschnitzerei, die Steinbildhauerei und den Stuck zur Innendekoration (vgl. Bd. V, S. 97). Andere Länder, wie Italien, Frankreich, Spanien und England, folgten, wenn auch mit gewisser Verzögerung. Die wichtigsten Kunstzentren waren die *Klöster*, wenngleich in Deutschland im 10. und 11. Jh. das Patronat des kaiserlichen Hofes und fürstlicher Bischöfe die größte Bedeutung besaß. Die dynastischen Beziehungen zu *Byzanz* vermittelten der ottonischen Kunst in Deutschland zusätzliche Anregungen durch Kunstwerke, die aus Konstantinopel stammten und als Vorbilder erreichbar waren. Die Italienpolitik der folgenden deutschen Kaiser brachte Deutschland und Italien in enge Verbindung, dies hatte auch auf künstlerischem Gebiet starke Auswirkungen. So herrschte in Deutschland um die Mitte des 11. Jh. eine künstlerische Blüte, für die es nirgendwo in Europa etwas Vergleichbares gab. Durch Kunstgegenstände wie auch durch wandernde deutsche Künstler gelangte der Einfluß dieser Kunst auch in andere Länder. Dem hohen Stand des Kunsthandwerks entsprach aber in Deutschland keine Parallele in der Bauplastik. In dieser Gattung lag die

Führung bei den Mittelmeerländern, Italien, Frankreich, Spanien. Zwar fehlte die Bauplastik an den ottonischen Bauwerken nicht völlig, doch sie beschränkte sich im großen ganzen meist auf ornamentierte, nicht figürliche Kapitelle.

In *Italien*, *Frankreich* und *Spanien* waren die ersten Versuche mit *Bauplastik* zwar ebenfalls auf *Kapitelle* beschränkt, aber schon bald führten die Bildhauer – angeregt durch *antike Vorbilder*, vor allem *korinthische Kapitelle*, die sie in großer Zahl an römischen Ruinen oder wiederverwendet an christlichen Bauwerken vorfanden – figürliche Motive, Einzelfiguren und sogar Szenen in die Kapitellplastik ein. Dabei bemühten sie sich, die Struktur des korinthischen Kapitells beizubehalten, mit den kleinen Akanthusblättern (Kranzblatt) und einer zweiten Reihe großer Blätter (Hochblatt), den caulicoli, aus denen sechzehn Voluten aufsteigen, acht große, die sich paarweise treffen, um die hervortretenden Eckvoluten zu bilden, und acht kleine, die sich in der Mitte der vier Seiten des Kapitells entrollen und Rosetten über sich haben. Häufig ersetzten die romanischen Bildhauer, unter teilweiser Beibehaltung der Grundform, Akanthus und Voluten durch Figuren (vgl. *Kapitelle*, Abb. 66 und 68). Die durchdachte und harmonische Struktur des korinthischen Kapitells wurde auf diese Weise neu belebt und mit neuem Gehalt erfüllt. Häufig mußten die Figuren – Mensch,

66 GEFLÜGELTE HALBFIGUREN ALS TRÄGER DER KÄMPFERPLATTE. Dijon, St. Bénigne, Kapitell in der Krypta. 1001–1018. Nachahmung eines antiken Atlantenkapitells. Die organische Anpassung der Formen betont die geschlossene Kapitellstruktur.

67 ERWECKUNG DES LAZARUS. León, S. Isidoro, Kapitell im Panteón de los Reyes. Um 1060. Die linearen Falten von mozarabischer Buchmalerei inspiriert. Eines der frühesten romanischen Kapitelle mit erzählender Darstellung.

68 FIGURENKAPITELL. Abtei Saint-Benoît-sur-Loire, Turmhalle. Um 1067. Eines der vielen figürlichen Kapitelle der Abtei. Komposition aus verschlungenen Tiergestalten und Mischwesen. Zahlreiche romanische Kapitelle verbinden die antike korinthische Grundform mit Figurenmotiven.

69 ORNAMENTIERTES DOPPELKAPITELL. Spätes 11. Jh. Silos, Abtei Santo Domingo, Kreuzgang. Im Unterschied zu den vorhergehenden Beispielen ist die Grundform blockhaft (vgl. Abb. 66–68); die engmaschig darübergespannte Arabeskendekoration verrät islamischen Einfluß.

70 ORNAMENTIERTES WÜRFELKAPITELL. Um 1100. Quedlinburg, Stiftskirche. Die kubische Form ist vom byzantinischen Würfelkapitell abgeleitet, das sich besonders für flaches Oberflächenornament eignet.

71 ORNAMENTIERTES KAPITELL. Um 1120. Canterbury, Krypta der Kathedrale. Die kubische Form kam aus Deutschland nach England. Die bewegten Schmuckmotive gehen auf einheimische Buchmalerei zurück.

72 THRONENDER CHRISTUS. Abteikirche St.-Génis-des-Fontaines (Pyrenäen), Detail des Türsturzes vom Westportal. Inschriftlich datiert 1019–1020. Frühester reliefierter romanischer Türsturz. Christus in der Mandorla, getragen von zwei Engeln, flankiert von sechs Aposteln unter Arkaden. Relief in zwei Ebenen, eigenwillige, linear gekerbte Falten.

73 PORTE MIÈGEVILLE. Um 1115–1118. Toulouse, St. Sernin. Gestuftes Portal mit Himmelfahrt Christi im Tympanon. Auf dem von Figurenkonsolen getragenen Türsturz Hochrelief der zwölf Apostel. Seitlich am Rand der Mauerzwickel stark plastische Standfiguren, St. Peter und St. Jakobus. Figürliche Kragsteine, Rosetten und reicher Ornamentfries am Dachgesims. Ein ähnlicher ausdrucksstarker, feingliedriger, plastischer Stil entwickelte sich allenthalben an der Pilgerstraße nach Santiago.

△ 66 ▽ 68 △ 67 ▽ 69

▽ 70 ▽ 71

△ 72

▽ 73

Tier, Phantasiegebilde – mehr oder minder gewaltsam der Struktur des Kapitells angepaßt werden. Allmählich gewannen die Bildhauer Freude an solchen Verzerrungen, und es wurde fast zur Regel, alle möglichen Formen dieser Transformation zu unterwerfen, die sich von der natürlichen Gestalt entfernte. Dieser Umbildungsprozeß entsprach der allgemeinen Vorliebe der Epoche für das Wunderbare und Seltsame. Die Einbildungskraft der mittelalterlichen Menschen kannte keine Grenzen. Ihre tiefe, irrationale Gläubigkeit führte zu naivem Wunderglauben. Wie man ohne geringste Zweifel an Mirakel aller Art glaubte, so glaubte man auch an die Existenz der merkwürdigsten Geschöpfe. Und die Welt war voll davon. Die meisten dieser seltsamen Kreaturen standen im Dienst des Teufels und lauerten überall als fortwährende Bedrohung der Sterblichen. Andere Geschöpfe waren von Gott geschaffen, fremdartige Gebilde des Ostens, halb Mensch, halb Tier, denen das Evangelium erst noch gebracht werden mußte. Alle diese Fabelwesen fanden ihren Weg in den Kosmos der romanischen Bildhauerei. Die Beschäftigung mit dem Monströsen und Fabulösen, die fast zur Besessenheit ausartete, ist während des 11. und 12. Jh. in allen Ländern anzutreffen. Und es überrascht nicht, daß solche Zustände von einem Puristen wie Bernhard von Clairvaux entschieden abgelehnt wurden. Er verdammte die Extravaganz des Kirchenschmucks mit „kostbaren und wunderlichen Nichtigkeiten" und wandte sich grundsätzlich gegen jede nichtreligiöse Kunst im klösterlichen Bereich. Die zeitgenössischen Kreuzgänge beschreibt er folgendermaßen: „Wozu diese unsauberen Affen, die grimmigen Löwen, die monströsen Zentauren, die Halbmenschen, die gestreiften Katzen, die kämpfenden Ritter, die hornblasenden Jäger? Viele Leiber sieht man unter einem Haupt und viele Köpfe, die einem einzigen Körper zugehören. Hier kommt ein vierfüßiges Tier mit einem Schlangenschwanz daher, dort ein Fisch mit einem Tierkopf... Kurzum, so mannigfaltig und wunderlich sind die verschiedensten Bildungen, daß man versucht sein könnte, eher den Marmor anzuschauen als in den Heiligen Schriften zu lesen, und es könnte einer leicht den Tag damit verbringen, solche Dinge zu bewundern, anstatt über das Gesetz Gottes nachzudenken." Obwohl Bernhard den Brief, aus dem dieser Passus stammt, erst um 1125 schrieb, könnte er genausogut auf die Kapitelle des 11. Jh. gemünzt sein.
Die Kapitelle des 11. Jh. waren anfänglich grob und mit primitivem Werkzeug gefertigt, aber sie boten ein weites Feld für Experimente. Auf der Suche nach Vorbildern studierten die Bildhauer vieles, worauf sie zufällig stießen: römische Sarkophage und Statuen, barbarische Metallarbeiten, die häufig anläßlich der Fundamentierung von Kirchen aus Gräbern zum Vorschein kamen. Alte Gräber wurden auch ausgeraubt, oft nur wegen der kostbaren Grabbeigaben aus Edelmetall. Bildhauer, die für die Klöster tätig waren, bekamen auch ältere Buchmalerei zu sehen, kostbare Buchdeckel, orientalische Textilien und zahlreiche Gegenstände, deren Motive zur Nachahmung reizten. Mitunter lieferten wohl auch die Mönche eines Skriptoriums den Bildhauern Entwürfe, die sich für ihre Arbeiten umsetzen ließen. Die Bildhauer zeichneten auch bewährte Muster auf, die dann immer wieder verwendet werden konnten. *Musterbücher* wurden von den Meistern auf die Schüler vererbt und von einer Generation zur nächsten, und sie konnten auch an weit voneinander entfernten Orten benutzt werden. Die Begriffe Original und Plagiat kannte man nicht, jeder wandernde Künstler konnte jedes Motiv, das ihm interessant erschien, kopieren, um es

künftig selbst zu verwenden. Auf diese Weise haben sich einzelne Motive sehr rasch und sehr weit verbreitet. Mit der Zunahme des Bedarfs an Bildhauerarbeit wandten sich immer mehr Handwerker ihr zu. Zu Beginn des 11. Jh. wurden gelegentlich Skulpturen von Steinmetzen ausgeführt, deren Hauptaufgabe die Bearbeitung von Werksteinen und das Setzen von Bogen und Gewölben war. Gegen Ende des Jahrhunderts jedoch hatte sich die Steinmetzkunst so sehr entwickelt, daß dafür Spezialisten erforderlich wurden. Sie wurden nach ihrem Können gewürdigt und entlohnt, und einige von ihnen kamen zu Ruhm und Ansehen. Das wird dadurch bezeugt, daß einige dieser *Bildhauer* voll Stolz auf ihr Geschick und ihre Stellung ihre Arbeiten an auffallender Stelle namentlich signierten. Dies gilt besonders für Italien, wo die hohe Selbsteinschätzung der Künstler schon früh einsetzte (vgl. Abb. 110).
Gegen Ende des 11. Jh. vollzog sich in vielen Gebieten Europas eine einschneidende Änderung. Hatte zuvor die Arbeit des Steinmetzen, der am Kirchenbau tätig war, mit der des Spezialisten, der die Kirchenausstattung schuf, wenig zu tun gehabt, gingen nun die beiden bisher getrennten Ströme ineinander über. Ohne Zweifel hatten die Handwerker, die Einrichtungsgegenstände schufen und vielerlei Techniken beherrschten, einen höheren Status, sie waren gebildet und arbeiteten oft in enger Verbindung mit der gelehrten Geistlichkeit. Am Ende des 11. Jh. ist diese Schicht auch als Bauplastiker anzutreffen. Der Bildhauer Ursus, der den Bischofsthron von Canosa schuf und der zweifellos aus einer Werkstatttradition kam, die Kultbilder, Elfenbeine und verwandte Luxusgegenstände hervorbrachte, gestaltete auch Fensterlaibungen und Portale für S. Nicolà in Bari. Bernard Gilduinus, der Bildhauer des Marmoraltars von St. Sernin in Toulouse, hat am selben Ort auch Kapitelle gearbeitet. Der Bildhauer der großartigen *Kapitelle von Cluny* (Abb. 82) war sicherlich kein gewöhnlicher Steinmetz. Die Feinheit seiner Technik und die gelehrte Ikonographie lassen vermuten, daß er sich der Bauplastik zuwandte, nachdem er zuvor andere Materialien bearbeitet hatte, vielleicht Elfenbein oder Stuck. Wenn aber die kunsthandwerklichen Skulptoren der Bauplastik neue Maßstäbe gaben, wäre ihre Arbeit doch weniger erfolgreich gewesen, hätten sie nicht Nutzen aus den Experimenten der Steinmetz-Bildhauer des 11. Jh. gezogen.
Die *romanische Bauplastik*, die aus der *Steinmetzkunst* hervorging, war eine natürliche Erweiterung der Architektur, als deren integrierender Teil sie verstanden werden muß. Die ottonischen Bildhauer von St. Pantaleon in Köln oder die frühromanischen Bildhauer von St. Emmeram in Regensburg schufen bedeutende Figuren, aber diese existierten gewissermaßen unabhängig von den Bauwerken, auch wenn sie an ihnen angebracht waren. Der Bildhauer der *Porte Miègeville in Toulouse* (Abb. 73) dagegen integrierte seine Skulpturen dem Portalentwurf in einem solchen Ausmaß, daß es unmöglich wäre, die Bestandteile voneinander zu trennen; Architektur und Skulptur sind zu einer Einheit verschmolzen. Der Zusammenschluß von Architektur und bildhauerischer Dekoration gehört zu den bedeutendsten Leistungen der romanischen Kunst. Die großen romanischen *Portale* von *Moissac*, *Autun* und *Vézelay* müssen als Ergebnis dieses Integrationsprozesses verstanden werden. Während das Hauptbetätigungsfeld für die Bildhauer des 11. Jh. das Kapitell war, gewann seit dem Ende des 11. Jh. das *Portal* größte Wichtigkeit. Anfangs schlicht, nur mit dekorierter Rahmung geschmückt, entwickelte sich das Portal allmählich zu einem reich artiku-

lierten Durchgang; die Mauerdicke wurde durch rückspringende Ordnungen überwunden, die Stufe für Stufe nach innen geleiten. Der *reliefierte Türsturz* (Abb. 72), der eine Frühform der bauplastischen Dekoration oberhalb der Tür war, wurde durch das aufwendigere Tympanon (Bogenfeld) samt Türsturz ersetzt. Das *Tympanon* war anfangs meist klein und nur bescheiden mit Skulpturen geschmückt, doch sehr bald entwickelten sich daraus riesenhafte, dominierende Formen, die zur Sicherheit eines stützenden Mittelpfeilers (frz. = *trumeau*) bedurften. Frühe Tympana konnten aus einem einzigen Steinblock gehauen werden, aber die späteren Beispiele mußten aus mehreren Steinblöcken zusammengefügt werden. Obwohl einige Kirchen des 11. Jh. drei Portale an der Hauptfassade aufweisen, waren diese im allgemeinen schlicht (vgl. Abb. 17). *Drei reichdekorierte Portale* wurden jedoch während des 12. Jh. fast zur Regel. Außer den Portalen wurden häufig auch Fensterrahmungen, Konsolen und Friese am Außenbau mit plastischem Schmuck versehen. In einigen Regionen, hauptsächlich in der Lombardei und in Westfrankreich, wurde manchmal die ganze *Schaufassade* reich mit Skulpturenschmuck überzogen (Abb. 18, 44).
Schon auf den frühesten Entwicklungsstufen der romanischen Skulptur gab es neben den religiösen Szenen groteske und monströse Darstellungen, die St. Bernhard so streng verdammte. Während des 11. Jh. wurden nicht selten erzählende Themen dargestellt (Abb. 67, 68), und im Lauf der Zeit nahm ihre Zahl noch zu. Das *Tympanon* indessen gab den Bildhauern Gelegenheit, über einfache biblische Szenen hinauszugehen. Der Ikonographie der großen Tympana widmeten sie daher größte Gelehrsamkeit. Das Hauptthema hatte komplexe, theologische Bedeutung, voll Symbolik, die den mittelalterlichen Denkern so wichtig war. Die Offenbarung Johannis war eine besonders beliebte Quelle. Ihre Visionen der „Dinge, die in Kürze geschehen werden" (Offenbarung 1, 1), spornte die Einbildungskraft der mittelalterlichen Menschen an. Die Visionen der *Auferstehung*, des *Jüngsten Gerichts* und des *Himmlischen Jerusalem* wurden die bevorzugten Themen der großen Tympana, die den Bildhauern die Möglichkeit gaben, das Wunderbare und zugleich Furchterregende dieser Weissagungen in visionärer Schau zu verwirklichen. Die Werke, die aus dieser Gesinnung hervorgingen, wie die *Tympana von Moissac* (Abb. 75), *Autun* (Abb. 85), *Vézelay* (Abb. 86) und *Chartres* (Abb. 96), sind von tiefer Religiosität durchdrungen und gehören zu den ergreifendsten Zeugnissen der mittelalterlichen Kunst.
Ebensowenig wie in der Architektur gibt es in der Plastik einen einheitlichen romanischen Stil. Die Bildhauerei verharrte zudem nicht statisch, sondern wandelte und entwickelte sich fortwährend. Sie hatte ebenfalls lokale Traditionen, und so bestanden große stilistische Unterschiede zwischen der Bildhauerei des Mittelmeergebiets und der Englands oder Skandinaviens. Trotzdem waren bestimmte Prinzipien und Ziele allen Regionen gemeinsam. Während der experimentellen Phase des 11. Jh., als die Bildhauer ihre Kunst gewissermaßen von Grund auf lernen mußten, traten die stilistischen Unterschiede besonders deutlich hervor. Der spanische Bildhauer, der als Muster mozarabische Buchmalerei benutzte (Abb. 67), brachte Arbeiten hervor, die gänzlich verschieden sind von jenen seines deutschen Zeitgenossen (Abb. 70), der auf ottonischen Traditionen fußte, und beide hatten wiederum nichts gemein mit den italienischen Skulptoren, die ihre Inspiration der dekorativen Kunst der Langobarden verdankten (Abb. 111). Aber bald zeigten sich überall in der Bildhauerei

die gleichen fundamentalen Tendenzen, die gleiche Vorliebe für dekorative Wirkungen, für geometrische Formen und für die Auffassung der Figuren als Teil der Architektur, mit der sie formal und physisch vereint sind. Wie in der Architektur jeder Teil artikuliert ist und sich die Gesamtheit aus einer *Summe von Einzelteilen*, die harmonisch miteinander verbunden sind, zusammensetzt, so ist auch in der Plastik das gleiche additive Verfahren festzustellen. Jede Form, ob menschlich, tierisch oder ornamental, wurde aus komplexen, in sich abgeschlossenen, unabhängigen Einzelteilen komponiert. Die gesamte Komposition wurde als kunstvolle Verschränkung und Balance solcher Formen konzipiert. Bei der Analyse bedeutender romanischer Kompositionen, z. B. des Portals von *Vézelay* (Abb. 86), stellen wir fest, wie meisterhaft dieses System ist, wie sich eine Grundform zur andern fügt, wie sie untereinander zusammenhängen und insgesamt eine wunderbare Einheit darstellen. Das Tympanon, die umgebenden Bogen und der Türpfeiler ergänzen einander in kunstvoller Weise, und zugleich artikulieren sie die weite Türöffnung. Sie sind nicht einfach eine dem Bau hinzugefügte Dekoration, sondern ein integrierender Bestandteil des sie umgebenden Mauerwerks.

Die Figuren am Gewände des Portals von Vézelay illustrieren die starke Beschäftigung der Bildhauer des 12. Jh. mit dem Problem der Ausbreitung des ikonographischen Programms vom Tympanon auf alle Teile des Portals. *Spanische Bildhauer* leiteten diese Entwicklung ein, indem sie Figuren in die Säulen eintieften (Abb. 123), während der italienische Bildhauer *Niccolò* in *Ferrara* mit Figuren an den Portallaibungen experimentierte (Abb. 113). Die Erfindung der *Säulenfigur*, oder zumindest die Anwendung dieser Erfindung in großem Maßstab an drei benachbarten Portalen, geht auf den *Meister der Abtei von St. Denis* zurück (Abb. 89). Diese neue Methode, bei der die Figur aus der Säule hervortritt und zugleich ihr unablösbarer Bestandteil bleibt – nicht wie bei den spanischen Beispielen auf die Oberfläche und in das Volumen der Säule gemeißelt –, stand am Beginn einer höchst folgenreichen Entwicklung, die zur Ausbildung des *gotischen Stils* führte. Die *Portale* von *Etampes* (Abb. 94) und *Chartres* (Abb. 96) stehen an der Grenze zwischen den beiden Stilen.

Es ist instruktiv, etwa die *Porte Miègeville von Toulouse* (Abb. 73) aus dem frühen 11. Jh. mit dem Portal von *Etampes* (Abb. 94) zu vergleichen, da das Thema der Tympana dasselbe und auch der Grundentwurf ähnlich ist. Während in dem toulousanischen Werk die Bildhauerei sich auf einige ausgewählte Bauteile konzentriert – Tympanon, Türsturz, Kapitelle, Zwickel und Kragsteine –, wird sie in Etampes sehr viel reicher an jedem Teil des Portals angewandt. Den zwei schlichten, massiven Archivolten in Toulouse stehen in Etampes drei reichskulptierte gegenüber, jene sind rundbogig, diese spitzbogig. In Etampes sind zudem die Kapitelle nicht mehr separiert, sondern sie bilden einen durchgehenden Fries, und Säulenfiguren treten an die Stelle der Vollsäulen. So wird das *Portal* zum Ort eines ausgedehnten, bildhauerischen Programms. Die Himmelfahrt von Toulouse hat sich zu einer weitaus komplexeren Himmelsvision entwickelt. Die Kapitellzone, die in Toulouse nur mit einigen moralisierenden Darstellungen geschmückt ist, enthält in Etampes einen großen Zyklus von Szenen aus dem Leben Christi, während die unterste Zone, die der Säulenfiguren, das Alte Testament symbolisiert. In *Chartres* (Königsportal, Abb. 96) wurde nicht nur dieses weitgespannte ikonographische Programm über die Dreiportalgruppe hin ausgedehnt, sondern die Portale wurden auch durch den ununterbrochenen Fries der Kapitelle und durch die Säulenfiguren der Gewände (von denen einige leider verloren sind) miteinander verbunden. Dadurch entstand eine einheitlichere Gesamtwirkung als je zuvor.

Die Epoche, die mit dem *Türsturz von St.-Génis-des-Fontaines* (Abb. 72) um 1020 begann und im *Königsportal von Chartres* (Abb. 96) gipfelte, war eine Zeit der größten Errungenschaften. Wenngleich die genialen Chartreser Portalskulpturen französischen Künstlern zu verdanken sind, darf nicht übersehen werden, daß sie auf Experimenten beruhten, die zuvor in einer ganzen Anzahl von Regionen, auch außerfranzösischen, durchgeführt worden waren. Erwähnt wurden Arbeiten des Ursus in Canosa und Bari, des Gilduinus in Toulouse des Niccolò in Ferrara und die des anonymen Bildhauers von Santiago. Diese Meister und eine Anzahl anderer Neuerer trugen indirekt zu den Meisterleistungen von St. Denis und Chartres bei. Der Austausch künstlerischer Ideen ging rasch vonstatten, und berühmte Bildhauer wurden an weit auseinanderliegende Orte berufen. Arbeiten Niccolòs findet man nicht nur in Ferrara, Verona und Piacenza, sondern auch in Sagra di San Michele bei Turin. Ein Bildhauer, der als „Meister von Cabestany" bekannt ist, hinterließ Arbeiten in Katalonien, im Roussillon, Languedoc und in der Toskana. Ein italienischer Meister, der in der Lombardei tätig war (Abb. 114), läßt sich auch in Mainz nachweisen (Abb. 117), und andere lombardische Bildhauer wurden an so weit von ihrer Heimat entfernten Orten wie Königslutter, Lund in Schweden und selbst in Ungarn und Polen beschäftigt.

Aber die Wanderungen der Künstler waren nur einer der vielen Wege, auf denen Moden

74 MAJESTAS DOMINI mit Evangelistensymbolen. Toulouse, St. Sernin, Marmorrelief im Chorumgang. Um 1100. Eines von sieben Reliefs, deren ursprüngliche Anbringung unbekannt ist. Bildhauer Bernard Gilduin (Gilduinus). Zu seinen früheren Arbeiten gehören Kapitelle und der Altar. Die Porte Miègeville in Toulouse (Abb. 73) zeigt ein späteres Stadium dieses zugleich monumentalen und dekorativen Stils.

75 APOKALYPTISCHE VISION. Abteikirche Moissac, Tympanon des Südportals. Um 1115–1120. Christus im Zentrum, umgeben von den Evangelistensymbolen, zwei Engeln und den 24 Ältesten der Apokalypse (Offenbarung Johannis, Kap. 4). Die Ikonographie basiert auf spanischer Buchmalerei zum Apokalypsenkommentar des Beatus von Liébana (vgl. Bd. V, S. 173 ff.). Der übernatürliche Charakter der Darstellung wird durch unterschiedliche Größe der Gestalten, feierliche Gebärden und unruhig bewegte Formen zum Ausdruck gebracht. Die „abgeplattete" Faltenbildung ist von Cluny (Abb. 82) abzuleiten. Spitzbogige Archivolten mit Blätterdekor, ein breiter Türsturz mit Reliefrosetten rahmen das Tympanon. Der Türsturz wird durch einen Figurenpfeiler entlastet. (Vgl. Abb. 77.)

76 SALOME MIT DEM HAUPT JOHANNES DES TÄUFERS VOR HERODES. Toulouse, St. Etienne, Doppelkapitell aus dem Kreuzgang. Um 1130. Toulouse, Musée des Augustins. Die zahlreichen Kapitelle und Figuren aus dem Kreuzgang und dem Kapitelsaal zeigen einen im Languedoc neuen, lebendig bewegten Stil mit natürlichen Proportionen, weichen Gesten, fließenden Gewändern, gerundeten Formen. Dieser Stil gewann Einfluß auf die protogotische Bildhauerei von St. Denis.

77 PAULUS. Abteikirche Moissac, Detail des Mittelpfeilers. Um 1115–1120. An der Stirnseite des Pfeilers aufgerichtete Löwen, an den Schmalseiten Jeremias und Paulus. Die Überlängung bewirkt eine vollkommene Einheit von Skulptur und Architekturform. Zarte, präzise Modellierung.

78 MITTELPFEILER vom Portal der Abteikirche Souillac. Detail. Um 1120–1125. Stilistische Verwandtschaft mit Moissac (vgl. Abb. 75, 77). Die im Kampf verschlungenen Bestien symbolisieren die Kräfte des Bösen.

79 ABRAHAMS SCHOSS. Abteikirche Conques. Detail des Tympanons vom Westportal. Um 1130–1135. Ausschnitt der Darstellung des Jüngsten Gerichts. Größtes romanisches Tympanon, ursprünglich unter Vorhalle. Reste der ursprünglichen Bemalung erhalten. Gedrungene, starre Gestalten. Stilistische Verbindung zur auvergnatischen Bildhauerei.

80 JUDASKUSS. St.-Gilles-du-Gard, Detail des Figurenfrieses. Um 1160. Friesform und Stil von antiker Kunst angeregt. Die romanische Skulptur der Provence steht der italienischen Kunst näher als der französischen. (Vgl. Abb. 118.)

81 HORNBLASENDE ENGEL RUFEN ZUM JÜNGSTEN GERICHT. Arles, St. Trophime, Detail des Westportals. Um 1170. Der antikisierende Stil weist enge Verbindungen zu St. Gilles auf. (Vgl. Abb. 80.)

82 DER ERSTE TON DES GREGORIANISCHEN CHORGESANGS. Abtei Cluny, Kapitell. Um 1095. Cluny, Musée du Farinier. Eines von acht Kapitellen aus dem Chorumgang mit Darstellung der Tugenden, des Mönchslebens, des Paradieses u.a. Zwei Kapitelle stellen laut Inschriften die acht Töne der Kirchenmusik dar. Frühes Auftreten der „abgeplatteten" Gewandgebung, subtile Modellierung der Gestalten, Akanthusblattwerk von fast klassischer Reinheit.

83 EVA. Autun, Kathedrale, Fragment des Türsturzes vom Nordportal. Um 1125. Autun, Musée Rolin. Arbeit des Gislebertus. Die Szene stellt den Sündenfall dar. Ungewöhnliche, horizontale Anordnung der Figur, seltene Darstellung eines nackten weiblichen Körpers. Gleitende Modellierung, präzises Ornament.

84 SELBSTMORD DES JUDAS. Autun, Pilasterkapitell aus der Kathedrale. Um 1125–1130. Autun, Musée Lapidaire, Kapitelsaal. Wie die meisten Kapitelle der Kathedrale von Gislebertus. Hochdramatische Szene, eingebettet in kräftiges, dekoratives Blattwerk.

85 JÜNGSTES GERICHT. Autun, Kathedrale, Tympanon des Hauptportals. Um 1130. Signiert Gislebertus. Christus als Weltenrichter trennt Erwählte und Verdammte. Am Türsturz Auferstehung der Toten. Die untere Archivolte enthielt ursprünglich die 24 Ältesten der Apokalypse. In den äußeren Bogen Medaillons mit Jahreszeiten, Monatsarbeiten, Tierkreiszeichen. Der Mittelpfeiler ist eine Rekonstruktion des 19. Jh. (anstelle des zerstörten Originals mit Darstellung des hl. Lazarus, des Schutzpatrons von Autun, dessen Reliquien im Chor aufbewahrt wurden). Die Skulpturen sind expressiv überlängt. Die unterschiedlichen Größenverhältnisse unterstützen den visionären Charakter.

86 AUSSENDUNG DER APOSTEL. Abteikirche Vézelay, Tympanon des Hauptportals in der Vorhalle. Um 1130. Lichtstrahlen verbinden Christus mit den Aposteln. Ringsum sind in den Kastenfeldern die Völker der Erde dargestellt, denen das Evangelium gebracht werden soll. Idee der Universalität der Kirche. Dynamischer, malerischer Stil. Am Türpfeiler Standfigur Johannes des Täufers, an den Seiten Apostel. Entscheidende Entwicklung der Portalskulptur, Vorwegnahme der Säulenfiguren von St. Denis. Reiche Kapitellplastik.

87 APOKALYPTISCHE VISION DER MAJESTAS DOMINI. Abteikirche Charlieu, inneres Westportal. Um 1140–1150. Letzte und dynamischste Stufe der burgundischen romanischen Skulptur. Bewegtheit bewirkt Spannung und Dramatik. Erfindungsreiche Ikonographie. Im Tympanon thront Christus in von zwei Engeln gehaltener Mandorla, umgeben von großfigurigen Evangelistensymbolen. Agnus Dei im Scheitel des Bogens. Am Türsturz Maria mit Engeln inmitten der Apostel. Reicher, minuziöser Ornamentschmuck der Archivolten.

88 PORTAL. Aulnay-de-Saintonge, St. Pierre. Um 1130. Die vier gestuften Archivolten des poitevinischen Portals sind überaus reich mit religiösen und grotesken Figuren geschmückt. Radiale Anordnung, bei der jedem Block eine Darstellung zukommt. Kein Tympanon.

74 ▷

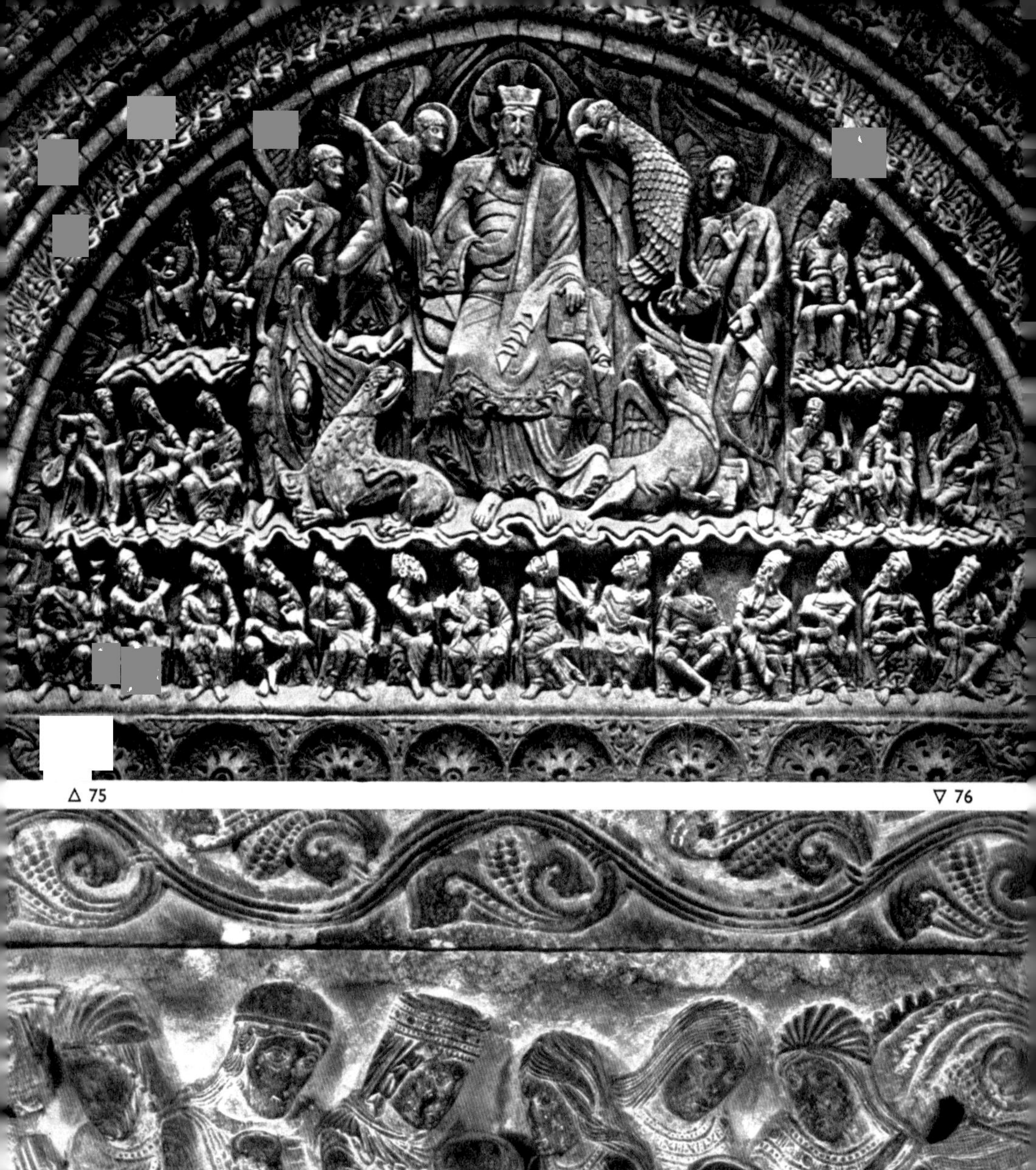

△ 75 ▽ 76

77

78

△ 79 ▽ 80 ▽ 81 82 ▷

△ 83

▽ 84

△ 85

▽ 86

△ 87 ▽ 88

und Stile sich ausbreiteten. Es steht z. B. fest, daß die Verbreitung künstlerischen Formengutes einigen wichtigen Handelsstraßen folgte. Zu ihnen gehörten sicherlich der Rhein oder auch die Via Emilia, die Hauptstraße vom Norden nach Rom. Bekannt ist, daß die berühmten *Pilgerstraßen* nach Santiago de Compostela überaus wichtige Lebensadern des künst-

89 VORFAHREN CHRISTI. Nachzeichnung zweier zerstörter Säulenfiguren. Abteikirche St. Denis, Westfront. (Nach: Montfaucon, Monuments de la monarchie française, 1729–1733.)

90 JÜNGSTES GERICHT. Abteikirche St. Denis, Tympanon des Hauptportals. Um 1137. Türsturz und -pfeiler während der Französischen Revolution zerstört, alle Köpfe und zahlreiche Details im 19. Jh. restauriert. Die Szenen des Jüngsten Gerichts greifen auf die Archivolten über und werden deren Biegung angepaßt; hier auch Apokalyptische Älteste und Engel. Stil und Ikonographie völlig romanisch. Archivoltenplastik westfranzösisch beeinflußt (vgl. Abb. 91). Die entscheidende Neuerung war die Anbringung von Säulenfiguren (zerstört) an den Gewänden des Portals. (Vgl. Abb. 89.)

91 TUGENDEN UND LASTER. Aulnay-de-Saintonge, St. Pierre, Westportal. Um 1135. Der äußerste Bogen zeigt eine Blockanordnung nach dem älteren Radialsystem. In den inneren Archivolten folgen die Figuren der Kurve des Bogens und greifen auf verschiedene Blöcke über; dadurch Möglichkeit des größeren Maßstabs der Einzelfigur. Diese Anordnung wurde auch in St. Denis und an allen gotischen Figurenportalen angewandt. (Vgl. Abb. 90.)

92 TIERKREISZEICHEN. Abteikirche St. Denis, rechtes Gewände des Nordportals der Westfront. Um 1137. In Autun und Vézelay (vgl. Abb. 85, 86) befindet sich dieses Thema in den Archivolten. Der Bildhauer von St. Denis folgte mit seiner Anordnung italienischen Vorbildern, die auch die säulentragenden Figuren anregten. Das linke Säulchen ist eine Kopie (das Original befindet sich im Musée de Cluny in Paris). Die Säule rechts ist ein Ersatz des 19. Jh. für eine verlorene Säulenfigur.

93 MONATSARBEITEN. Abteikirche St. Denis, rechtes Gewände des Südportals der Westfront. Um 1137. Die rahmenden Säulen Ergänzungen des 19. Jh. (Vgl. Abb. 92.)

94 SÜDPORTAL DER KATHEDRALE VON ETAMPES. Um 1140–1150. Frühes Portal mit Säulenfiguren. Dargestellt sind die alttestamentlichen Vorläufer Christi. Im Tympanon die Himmelfahrt Christi, an den Kapitellen biblische Szenen. Der Grundgedanke geht auf die Porte Miègeville in Toulouse zurück (vgl. Abb. 73). Stilistische Einflüsse aus Burgund. Derselbe Bildhauer war auch in Chartres tätig. (Vgl. Abb. 95.)

95 SÄULENFIGUREN. Chartres, Kathedrale, Nordportal der Westfront. Um 1140–1150. Arbeit des Meisters von Etampes, früheste und am meisten romanische der Chartreser Skulpturen. Säulenhafte Überlängung, scharfe, dichte Falten. (Vgl. Abb. 94.)

96 PORTAIL ROYAL (KÖNIGSPORTAL). Chartres, Kathedrale, Westfront. Um 1140–1150. Dreiteiliges Stufenportal in Mittelschiffbreite. Mittelportal: Im Tympanon Christus als Weltenrichter in Mandorla, umgeben von den Evangelistensymbolen. Am Türsturz die zwölf Apostel unter Arkaden. In den Archivolten die 24 Ältesten der Apokalypse und acht Engel. Nördliches Nebenportal: Im Tympanon Himmelfahrt Christi, am Türsturz zehn Apostel. In den Archivolten Tierkreiszeichen und Monatsarbeiten. Südliches Nebenportal: Im Tympanon thronende Muttergottes mit Engeln über Marienszenen in zwei Zonen. In den Archivolten die sieben Artes liberales und die sieben Weisen des Altertums.
19 große Säulenfiguren an den Portalgewänden (ursprünglich 24) und 38 Kapitelle, friesartig mit neutestamentlichen Szenen, erhalten. Bedeutendstes Denkmal der Skulptur des 12. Jh. Wendemarke der Entwicklung zwischen romanischem und gotischem Stil.

89

97 Imadmadonna. Um 1060. Paderborn, Diözesanmuseum. Höhe: 1,12 m. Holz. Dem Dom zu Paderborn gestiftet von Bischof Imad (1051–1076). Ursprünglich mit Silberfolie und Edelsteinen bedeckt. Die Hände der Maria sind ergänzt. Die Monumentalität und die hoheitsvolle Unbeweglichkeit der Haltung bekunden den Gegensatz zu früheren ottonischen Madonnen. (Vgl. Bd. V, Abb. 131.)

98 Muttergottes mit Christuskind. 2. Viertel 12. Jh. Beaulieu, Pfarrkirche. Höhe: 60 cm. Silber auf Holzkern. Die Komposition ist weniger vereinheitlicht als bei Abb. 97. Das Kind thront frontal und fast losgelöst von der Muttergottes wie bei ottonischen Elfenbeinen. Die Konzeption dieser Skulptur erscheint weniger romanisch als die der vorhergehenden. Stilistische Verbindung zu späten Arbeiten der Werkstatt von Moissac.

99 Muttergottes mit Christuskind. Mitte 12. Jh. Aus St. Laurent in Lüttich. Lüttich, Museum. Höhe: 92 cm. Steinrelief. Irrtümlich „Madonna des Dom Rupert" (Rupertus von Deutz) genannt. Der Typus der Virgo lactans (stillende Muttergottes) geht auf byzantinische Vorbilder zurück. Die innige Wiedergabe von Mutter und Kind ist in der romanischen Kunst selten. Stil der Maaskunst.

100 Muttergottes und Christuskind. Spätes 12. Jh. Aus Acuto (Latium). Rom, Museo di Palazzo Venezia. Höhe: 1,09 m. Holz mit späterer Fassung. Beispiel für Beziehungen zwischen Kultobjekten und Steinplastik. (Vgl. Abb. 120.)

101 Astrolabium. Spätes 11. Jh. Aus St. Emmeram in Regensburg. Regensburg, Stadtmuseum. Höhe ohne Kapitell: 61 cm. Stein. Seltenes Beispiel einer Profanskulptur. Aratos kniet in der Pose des Atlas, der den Globus trägt. Die Tradition nimmt eine Verbindung zu Wilhelm von Hirsau an, der bis 1069 in St. Emmeram weilte und dann als Abt in Hirsau die Klosterreform von Cluny einführte.

102 Werdener Kruzifix. Um 1070. Werden, Abteikirche St. Liudger. Ursprünglich in der Abteikirche Helmstedt. Vereinfachung und energische Straffung der Formen, Tendenz zu geometrischen Mustern, Übersteigerung der Züge sind typische Stilmerkmale. (Vgl. ottonische Kruzifixe, Bd. V, Abb. 134–137.)

103 Freudenstadter Lesepult. Mitte 12. Jh. Freudenstadt, Stadtkirche. Ursprünglich Abteikirche Alpirsbach. Holz mit farbiger Fassung. Die Gestalten der Evangelisten sind plastisch geformt, aber die Körperform wird verhüllt durch Gewänder, die mit geometrischen, spitzwinkligen Falten bedeckt sind. Die Köpfe sind dekorativ behandelt mit wechselnder Bildung von Haar und Bart. Die Haltung und die mühelose Art, das Gewicht des Pults zu tragen, betonen den erscheinungshaften Charakter.

104 Grabplatte des Gegenkönigs Rudolf von Schwaben. Entstanden bald nach 1080. Merseburg, Dom. Höhe: 1,97 m. Bronze. Gräber mit dem Abbild der Verstorbenen kamen während der romanischen Epoche auf; das Grab Rudolfs gehört zu den frühesten und bedeutendsten. Es ist ein idealisiertes Herrscherbildnis, nicht ein Porträt.

△ 90 ▽ 91

◁ 92 ◁ 93 △ 94

◁ 95
▷ 96

△ 97 ▽ 99 △ 98 ▽ 100 101 ▷

△ 102 ▽ 103 104 ▷

lerischen Austauschs waren. Der genaue Verlauf der Pilgerstraßen nach Santiago wird in einem Pilgerführer des 12. Jh. beschrieben; demnach gab es vier Hauptrouten, die durch Frankreich zogen und sich auf der spanischen Seite der Pyrenäen vereinigten. Alle wichtigen Heiligtümer entlang dieser Wege sind zum Nutzen der Pilger genau beschrieben, samt zahlreichen praktischen Angaben. Zweifellos nahmen auch zahlreiche Künstler und Stifter diesen Weg. Sie besuchten die Kirchen und trachteten dann, sie in ihrer Heimat nachzuahmen. So ist es kein Zufall, daß Conques, Toulouse, León und Santiago Skulpturen aufweisen, die stilistisch eng verwandt sind.

Trotz dieser Wechselbeziehungen gab es im frühen 12. Jh. deutlich unterscheidbare regionale Eigenheiten, so daß man bei einigen von *Regionalschulen* der Bildhauerei sprechen kann. Nicht in jedem Fall entsprechen sie den Regionalschulen der Architektur, ein Beweis, daß die Bildhauer nicht länger an die Bauhütten gebunden waren, sondern unabhängig von ihnen arbeiteten.

In *Frankreich* sind die beiden frühesten Regionalschulen der Bildhauerei, die am Ende des 11. Jh. einsetzten, die *burgundische* und die des *Languedoc*. Die Bildhauerschule von Burgund, das dem Reichsgebiet benachbart ist und in enger Verbindung mit ihm stand, zeigt eine gewisse Abhängigkeit von der deutschen Kunst (dies wird für die Malerei meist bereitwilliger angenommen als für die Plastik). Wie ließe sich sonst das „Wunder" der *Kapitellplastik von Cluny* (Abb. 82) erklären? Für diese Kapitelle – die Datierung 1095 als richtig vorausgesetzt – gibt es nirgendwo in Burgund oder in ganz Frankreich Parallelen. Jedoch bekunden frühe Zeugnisse der Bildhauerei, wie Sarkophagfragmente und zwei Heiligenreliefs in *Werden*, das *Astrolabium von Regensburg* (Abb. 101), Kultbilder (*Imadmadonna*, Abb. 97) und *Bronzearbeiten* (Abb. 102 und 104), die außerordentliche technische und stilistische Feinheit deutscher Bildhauerarbeiten in der zweiten Hälfte des 11. Jh. Die „abgeplatteten" Gewandfalten in Cluny haben offensichtlich Vorläufer in den Arbeiten von *Werden* und *Merseburg*.

Das große *Portal von Cluny* III, das nur noch aus Zeichnungen und wenigen Fragmenten bekannt ist, war sicher 1113 vollendet; es steht am Anfang einer ganzen Reihe großer romanischer *Portale in Burgund* (*Autun*, Abb. 85, *Vézelay*, Abb. 86, sowie *Charlieu*, Abb. 87). Cluny war zweifellos eines der einflußreichsten Zentren der bildhauerischen Aktivität in Europa, und sein Einfluß wirkte sich nach allen Richtungen aus. Selbst der Stil des Gislebertus von Autun und der seines anonymen Zeitgenossen in Vézelay, so verschiedenartig sie auch sind, sind doch beide *Cluny* verpflichtet.

Die *Bildhauerschule des Languedoc* mit dem Zentrum *Toulouse* wird im letzten Viertel des 11. Jh. faßbar. Ihr frühester Meister war *Gilduinus* (Abb. 74), dessen Stil eine eigenartige Mischung ist von klassischen Elementen mit solchen, die sich aus dem Kunsthandwerk, Metall und Elfenbein, herleiten. Seine Schüler entwickelten diesen Stil weiter (z. B. *Kreuzgang von Moissac* und *Porte Miègeville in Toulouse*, Abb. 73) zu größerer Plastizität und Rundheit der Form, betont durch charakteristische Falten in kurvigem Relief. Das Auftreten eines nahezu identischen Stils in Spanien, in *Jaca*, *León* und *Santiago* (Abb. 123, 124) bezeugt die engen künstlerischen Kontakte zwischen den wichtigen Pilgerzentren längs des „camino francés", der französischen Pilgerstraße nach Santiago.

Die Werkstatt von *Moissac*, die das Portal mit seinem großartigen Tympanon schuf (Abb. 75), entfernte sich von dem Stil, der in Toulouse entwickelt wurde, und die Annahme scheint begründet, daß der stilistische Wechsel zumindest teilweise dem *Einfluß Clunys* zuzuschreiben ist. Moissac war ein Cluniazenserkloster, dessen Mönche gewiß mit den großen Umbauarbeiten ihres Mutterklosters vertraut waren. Die „abgeplattete" Faltenbildung und die Idee des riesenhaften Tympanons stammen von dort. Dem Meister von Moissac muß indes Originalität zugestanden werden, die allein seine visionäre Kunst erklärt. Wie alle mittelalterlichen Künstler schöpfte er freizügig aus einer Vielzahl von Quellen, ohne den Versuch, dies zu verbergen, und doch vollbrachte er eine einzigartige Leistung, die noch heute fast übermenschlich erscheint. Seine dramatische Gestaltungskraft hatte unmittelbar Erfolg, wie die eng verwandten Portale von *Souillac* und *Beaulieu* bezeugen.
Kaum war das Portal von Moissac vollendet, als um 1130 ein neuer Stil im Languedoc aufkam, und zwar in *Toulouse*, im *Kreuzgang der Abtei La Daurade* und im *Kapitelsaal der Kathedrale St. Etienne*. Gleichsam als Reaktion auf den turbulenten, scharfkantigen, eckigen Stil des Meisters von Moissac hatte die neue toulousanische Skulptur einen maßvollen Charakter mit weicher Modellierung (Abb. 76). Dieser dritte Stil von Toulouse muß den Bildhauern des Abtes Suger von St. Denis bekannt gewesen sein, denn seine Wirkung läßt sich in den Gestalten der klugen und törichten Jungfrauen an den Gewänden des Hauptportals von St. Denis feststellen. Kürzlich wurde der Beweis erbracht, daß die Figuren der Apostel von St. Etienne ursprünglich nicht für ein Portal bestimmt waren (sie befinden sich heute im Museum), sondern daß sie das Gewölbe des Kapitelsaals trugen und daher keinen Einfluß auf die Entstehung des protogotischen Figurenportals gehabt haben können.
Nördlich des Languedoc, in der Region zwischen Garonne und Loire, die kurz als *Westfrankreich* bezeichnet werden soll, im Poitou, der Saintonge und im Angoumois, entwickelte sich während des frühen 12. Jh. eine sehr vielseitige Bildhauerschule. Westfrankreich ist zweifellos die reichste Region Europas an erhaltenen romanischen Bauwerken, die meisten sind verschwenderisch mit Skulpturen geschmückt, vieles davon hat allerdings ornamentalen Charakter. Das in diesen Gebieten vorkommende weiche, aber dauerhafte Gestein eignete sich nicht zur Verarbeitung in großen Blöcken, daher war die Plastik besonderen Bedingungen unterworfen. Über den Portalen wurden keine Tympana angebracht, obwohl manchmal flachbearbeitete Nischen an ihre Stelle traten. Die Besonderheit dieser Region ist das *Portal ohne Tympanon*, aber mit zahlreichen, gestuften Bogen, die meist reich mit Bildhauerarbeit verziert wurden. Anfangs waren die Reliefs der Archivolten radial angeordnet, mit einem einzigen Motiv auf jedem Keilstein (*Aulnay-de-Saintonge*, Abb. 88). Diese Anordnung bewirkte großen dekorativen Reichtum; zugleich hatte sie aber ihre Grenzen, denn sie beschränkte die Größe der bildhauerischen Motive. Etwa um 1130 setzte ein entscheidender Wandel in der Anordnung der Archivoltenskulpturen ein (*Aulnay-de-Saintonge, Westportal*, Abb. 91), der es ermöglichte, die einzelnen Figuren größer zu machen. Dadurch, daß die Motive nicht mehr radial, sondern entlang der Krümmung der Bogen angeordnet wurden und die Fugen zwischen den Keilsteinen außer acht ließen, wurde es möglich, auch große Figuren anzubringen. Diese *Bogenskulpturen*, wie man sie nennen könnte, erwiesen sich als eine folgenreiche Erfindung, die für *St. Denis*, *Etampes* und *Chartres* und

alle folgenden gotischen Portale übernommen wurde. Die *Säulenfigur* war nur eine logische Weiterentwicklung dieser Idee, übertragen auf die unteren Teile des Portals. Die künstlerische Meisterschaft der westfranzösischen Bildhauer und ihre Vorliebe für reichen Bauschmuck führte manchmal dazu, ganze Fassaden mit Friesen und Nischenfiguren zu überziehen, so daß praktisch keine unbearbeiteten Flächen stehenblieben (*Poitiers*, Abb. 18). Diese Fassaden wurden nicht nur in Frankreich nachgeahmt, wo ihr Einfluß bis in die Normandie und Picardie reichte, sondern auch in Spanien, vor allem aber in England, besonders

105 TAUFE CHRISTI. Lüttich, St. Barthélemy, Taufbecken. Bronze. Im Auftrag des Abts Hellinus (1107–1118) für Notre-Dame-aux-Fonts durch Reiner von Huy gegossen. Modelliert nach der alttestamentlichen Beschreibung des „ehernen Meeres“ im Tempel Salomons, das „auf zwölf Ochsen stand“ (1. Buch der Könige, Kap. 5, 25). In Lüttich nur zehn Ochsen wiedergegeben. Hervorragendes Werk der Maasschule in antikisierendem Stil, der sich von der gesamten übrigen romanischen Kunst der gleichen Zeit grundsätzlich unterscheidet.

106 VERKÜNDIGUNG UND HIMMELFAHRT. Freckenhorst, Nonnenstiftskirche, Taufbecken. Um 1129. Stein. Im Unterschied zu Abb. 105 sind die sieben Szenen aus dem Leben Christi unter Arkaden gestellt und in den Stein hineingeschnitten. Auch die Löwen der Basis ragen nicht vor, daher bleibt die Oberflächenebene gewahrt. Modellierung mit linearen Mitteln.

107 KREUZABNAHME. Felsrelief von den Externsteinen (Teutoburger Wald). Um 1115. Die überlebensgroßen Gestalten sind mit großer Ausdruckskraft wiedergegeben. Die Proportionen sind verzerrt – besonders bei Joseph von Arimathia –, um die Unterstützung des zu Boden sinkenden Christuskörpers zu betonen. Ungewöhnliche Ikonographie, z.B. Büste Gottvaters mit Siegesfahne und der Seele Christi. An der Basis Adam und Eva in symbolischer Gegenüberstellung: Erbsünde und Erlösung durch den Opfertod Christi.

108 LÖWE. 1166. Braunschweig, vor der Burg Dankwarderode. Bronze. Die Idee des freistehenden Löwenmonuments für Herzog Heinrich den Löwen geht auf antike Vorbilder zurück. Symbol ritterlicher Gesinnung und politischer Macht. Vorbild waren kleine Bronzeaquamanile, ins Monumentale übersetzt.

109 ERZBISCHOFSTHRON. Um 1098. Bari, S. Nicolà. Marmor mit farbiger Inkrustation. Die Wallfahrtskirche wurde für die Reliquien des hl. Nikolaus erbaut, durch Elias, Abt von S. Benedetto, der 1089 Erzbischof wurde. Der Thron befindet sich aus diesem Grund nicht in der Kathedrale. Einer von vier apulischen Thronen des 11. Jh. Der Sitz mit den durchbrochenen Seiten und Ornamenteinlagen zeigt islamischen Einfluß. Die drei Sklaven, die ihn stützen, sind von antiken Atlanten inspiriert. Sie sind vollplastisch gebildet und verdeutlichen die Anstrengung, das Gewicht des Thrones zu stützen. Auf der Rückseite Löwen und Männer im Kampf, die Fußplatte ruht auf zwei kleinen Löwen. Kein anderer Bildhauer dieser frühen Zeit hat den organischen Aufbau antiker Skulptur besser verstanden als dieser apulische Meister.

110 FASSADENFRIES DES DOMS VON MODENA. 1. Viertel 12. Jh. Szenen mit Gottvater in Mandorla, Erschaffung Adams, Erschaffung Evas, Versuchung. Meister Wiligelmo, laut Inschrift. Der Fries ist von antiken Vorbildern inspiriert, aber stilistisch eigenständig; entschiedenes Körper- und Raumgefühl zeichnen ihn aus. Wiligelmo hat wahrscheinlich in Apulien gelernt.

111 VÖGEL ZWISCHEN WEINTRAUBEN. Como, S. Abbondio, Fensterumrahmung. Zwischen 1063 und 1095. Flacher Reliefdekor in Nachfolge der örtlichen Tradition lombardischer Skulptur des 8./9. Jh. Eine der frühesten Arbeiten der lombardischen Schule. Die Fensterumrahmungen des Speyerer Doms und die Quedlinburger Reliefs (vgl.

Abb. 116) sind Zeugen eines frühen Einflusses dieser Schule in Deutschland.

112 Westportal der Kirche S. Pietro in Ciel d'oro, Pavia. 1120–1130. Dreiecksgiebel über dem Portal nach antikem Vorbild; Relief des hl. Michael, flankiert von Stiftern, ein Nachklang des ottonischen Ziboriums von S. Ambrogio, Mailand. Tympanon und Türsturz schmucklos, ursprünglich sicher bemalt. Wechsel von Bogen mit rundem und eckigem Profil. Der reiche, flache Ornamentdekor an rahmenden Bauteilen ist charakteristisch für die Lombardei. (Vgl. auch Abb. 44.)

113 Hauptportal des Doms von Ferrara. Um 1135. Signierte Arbeit des Meisters Niccolò. Reichentwickelte Portalform mit acht Gewändestufen lombardischer Art, skulptiertes Tympanon mit hl. Georg, am Türsturz neutestamentlicher Bogenfries. Am Türgewände Verkündigung, Propheten Jeremias, Isaias, Daniel und Ezechiel: Prototypen der Säulenfigur. Vorspringender Portalbaldachin, dessen Säulen von Atlanten und Löwen (diese modern ergänzt) getragen werden. Im Bogenscheitel Agnus Dei (vgl. Abb. 87). In den Zwickeln Johannes der Evangelist und Johannes der Täufer als Zeugen Christi (des Lammes). Die seitlichen Zwickelfiguren sind von Toulouse herzuleiten (vgl. Abb. 73). Weitere Werke des Niccolò sind erhalten. (Verona, S. Zeno, 1138, und Dom, 1139.) Sein Stil ist weniger monumental als der des Wiligelmo, aber feinteiliger, mit präzisen Formen von metallischer Schärfe.

114 Lesepult. Um 1115. S. Giulio am Ortasee. Geschmückt mit Evangelistensymbolen, einem Abt (vielleicht Wilhelm von Volpiano), Tieren, Ungeheuern und Blattwerk. Der ornamentale Reichtum ist typisch lombardisch. Dieser Meister oder auch ein naher Nachfolger war auch in Deutschland tätig. (Vgl. Abb. 117.)

115 Kapitell, Pavia, S. Michele. 1110–1120. Die Kapitelle der Pilaster und Säulen sind zu einem kontinuierlichen ornamentalen Fries verbunden, die Motive gehen meist auf orientalische Textilmuster zurück. Trotz des figürlichen Reichtums bleibt die blockhafte Kapitellstruktur gewahrt. Die Idee des durchlaufenden Kapitellfrieses wird später in Etampes und Chartres angewandt, jedoch mit erzählenden Szenen. (Vgl. Abb. 94–96.)

116 Kämpfer, Quedlinburg, Stiftskirche, Südquerhaus. Um 1100. Flaches Relief mit wiederholtem Vogel- und Pflanzenmotiv, direkt von der Lombardei, speziell Como, abgeleitet. (Vgl. Abb. 111.)

117 Zentaur und Hirsch. Mainz, Dom, Kapitell der Turmhalle. Um 1120. Der lombardische Einfluß auf die deutsche Bauplastik kann deutlich an den Kaiserdomen von Speyer, Mainz und Worms beobachtet werden. In Mainz war möglicherweise der Bildhauer von S. Giulio (vgl. Abb. 114) tätig. Von zwei Türumrahmungen stammt die eine wahrscheinlich von ihm und die andere von seinem deutschen Nachfolger.

118 Pharaos Heer im Roten Meer. Lucca, S. Frediano, Detail des marmornen Taufbeckens. Um 1160. Der Reliefschmuck des Beckens ist in sechs Abschnitte unterteilt; zwei mit dem Guten Hirten und Aposteln unter Spitzbogen stammen von einem Gehilfen, der „Robertus Magister" signiert, die übrigen Szenen aus der Mosesgeschichte schuf ein Meister, der offensichtlich antike Sarkophagplastik kannte. Der antikisierende Stil ist mit dem der zeitgenössischen provenzalischen Skulptur verwandt. (Vgl. Abb. 80, 81.)

119 Adler und Personifikation der Sünde. Salerno, Kathedrale, Detail der südlichen Kanzel. Zwischen 1153 und 1181. Marmor. Der Adler stützt mit ausgebreiteten Flügeln das Lesepult, ein Motiv, das seit dem 11. Jh. häufig an italienischen Kanzeln vorkommt. Die Gestalt darunter ist oft ein Engel. In Salerno und später Sessa Aurunca, wie auch in Kampanien, ist ein stehender halbnackter Mann mit Schlange dargestellt, den der Adler mit seinen Krallen unterwirft. Der Naturalismus der Körperbehandlung, besonders des Kopfes, zeigt den Einfluß antiker Skulptur. Die Mosaikornamente der kampanischen Kanzeln sind im Stil islamisch, ihren Ursprung hatten sie in Sizilien.

△ 105

▽ 106

△ 107

▽ 108 109 ▷

CONIVGI DILECTISSIMA
MEDIOLAÑ FILIA EX
NEAPOLITANOR REGIS SPLENDOR
SVMMIS DOTIBVS
MAIESTATIS
STEPHANI I CO
HVMATIS
POSVIT
ANNO
VI

△ 110 ▽ 111 ▽ 112 113 ▷

△ 114

▽ 115

▽ 116

△ 117 ▽ 118

nach der Union Westfrankreichs mit England unter dem König Heinrich II. Plantagenet. Eine andere Bildhauerschule gab es in der *Auvergne*. Charakteristisch für sie ist eine besondere, stark antikisierende Kapitellform sowie die Dreiecksbildung des Türsturzes. Die Skulpturen von Conques in der Rouergue zählen ebenfalls dazu. Das *Westportal von Conques* mit seinem riesigen Tympanon (Abb. 79), dessen Bemalung noch in Resten erhalten ist, war die Krönung dieser Schule. Den schweren, gedrungenen Figuren fehlt die Virtuosität, die die Bildhauerei des Languedoc und Burgunds auszeichnet. Das Jüngste Gericht ist in zahlreiche Szenen aufgeteilt, die durch Rahmen getrennt sind. Die Ikonographie und Darstellungsweise haben nichts von dem visionären, leidenschaftlich bewegten Charakter von Moissac oder Autun, aber sie waren sicher leicht verständlich für die Masse der einfachen Pilger, die den berühmten Schrein der hl. Fides aufsuchten.

In gewissem Maß war die gesamte romanische Bildhauerei der Plastik der Antike verpflichtet, aber nirgendwo sonst war die Beziehung zu römischen Monumenten so stark wie in der *Provence*. Die Bildhauerei entwickelte sich hier spät, im dritten Viertel des 12. Jh., als in Nordfrankreich die Abkehr von der Romanik schon im Gange war. Die *provenzalische Bildhauerschule* (*Arles*, Abb. 29, 81; *St. Gilles*, Abb. 80) übernahm nicht das Portal mit Säulenfiguren, sondern entwickelte den *Figurenfries* und die *Nischenstatue* als hauptsächliche Dekorationsmerkmale.

Die Bedeutung der *spanischen Plastik*, besonders des 11. Jh., wurde lange Zeit unterschätzt. Die Blüte des Kunsthandwerks regte dort auch frühzeitig die Entwicklung der Steinbildhauerei an (Abb. 67, 69 und 122). Die Pilgerfahrten und die Ordensbeziehungen mit Frankreich ließen enge Kontakte zu den künstlerischen Bestrebungen des Languedoc und Burgunds entstehen. Die Skulpturen von *Santiago* (Abb. 123–125) zeigen eine Mischung der Stileinflüsse, rein spanische Elemente stehen neben solchen, die sich von der Porte Miègeville in Toulouse und von den Plastiken von Conques aus der Zeit vor dem großen Tympanon herleiten. An der Puerta de las Platerias schmücken – wie schon zuvor in Toulouse und Cluny III – Skulpturen die rahmenden Zwickel, viele davon wurden erst im 13. Jh. hinzugefügt. Die Vielpaßform der Fensterbogen geht auf islamische Vorbilder zurück (Abb. 125).

Es bestanden auch Beziehungen zwischen Katalonien und Aragon einerseits und Italien andererseits. Sie waren schon im 11. Jh. vorhanden, vielleicht durch überseeische Verbindungen begünstigt, und setzten sich während des 12. Jh. fort. Dabei ist keineswegs entschieden, ob Spanien immer der nehmende Teil war, wie so oft angenommen wird. Ein Ideenaustausch bestand vielmehr in beiden Richtungen zum Nutzen beider Länder. Die hochromanische Bildhauerei in Spanien war weniger erfindungsreich, und obwohl noch viele hervorragende Arbeiten entstanden, setzte die Vorliebe für reichen Dekor die bereits überholten Formen fort, die vor allem aus Westfrankreich stammten; doch auch solche der protogotischen Portalskulptur der Ile-de-France wurden für die noch rein romanischen Dekorationszusammenhänge adaptiert.

Das frühe Auftreten der romanischen Skulptur in *Apulien* wurde bereits erwähnt. Obwohl nicht allgemein anerkannt, ist es doch wahrscheinlich, daß Apulien eine der Hauptquellen ◁ 119 für die Kunst des *Wiligelmo*, des großen Bildhauers der Kathedrale von *Modena*, war

(Abb. 110). Im Vergleich zur zeitgenössischen Bildhauerei in Burgund und im Languedoc ist sein Stil weniger raffiniert, seine schweren, gedrungenen, körperhaften Gestalten sind fast plump. Aber sie haben überzeugende Ausdruckskraft und seltene Tiefe. Wiligelmo und seine Schüler waren in mancher Hinsicht Erfinder. Zum Beispiel wurde das Portal mit Skulpturen, die auf rechteckigen Feldern an den Türseiten angebracht sind, erstmals in Modena verwendet und in *St. Denis* (Abb. 92 und 93) wiederholt. Zu der Schule, die sich in der *Emilia* entwickelte und über ihre Grenzen hinaus ausbreitete, gehörte ein Bildhauer namens *Niccolò*, der ein ebenbürtiger Nachfolger des Wiligelmo war. Auch er trug zur Entwicklung des Figurenportals bei, indem er figürliche Plastiken verwendete, die in die Tiefe der Gewände geschnitten wurden (*Ferrara*, Abb. 113), eine Methode, die in Basel, Petershausen und bis weit nördlich, in Tournai und Bury St. Edmunds in England, nachgeahmt wurde. Diese Methode nahm die Säulenfiguren der französischen Portale vorweg, obwohl sie davon grundverschieden ist. Säulenfiguren im Stil des Niccolò kommen in Italien in Ravenna, Ancona, Piacenza, Perugia vor, aber sie sind wahrscheinlich später zu datieren als die von St. Denis, und auf jeden Fall fanden sie keine lokale Weiterentwicklung.
Die Schule der *Lombardei* war – was ihren Einfluß angeht – die populärste aller romanischen Bildhauerschulen. Sie entwickelte sich gegen Ende des 11. Jh. in *Como* (daher wird dieser Stil manchmal *corrente comasca* genannt), in *Mailand*, *Pavia* und in zahlreichen anderen Zentren und wurde innerhalb kurzer Frist zu einer bevorzugten Richtung der Dekoration in vielen Teilen Europas. Im Grunde handelt es sich dabei um *ornamentale Plastik*, bei der religiöse Themen nur eine untergeordnete Rolle spielen. Sie nahm ihren Ursprung an Kapitellen (Abb. 115), breitete sich an Portalen (Abb. 112) wie an anderen Bauteilen (Abb. 111 und 114) aus und überzog auch ausnahmsweise die ganze Fassade (Abb. 44). Mitunter wird armenische Plastik als Quelle dieser etwas überdekorierten Kirchen angenommen, doch ist dieser Zusammenhang wenig wahrscheinlich. Wir wissen hingegen, daß die *Kathedrale von Modena* vor ihrer Wiederherstellung eine Fassade hatte, die nicht nur mit dem Fries des Wiligelmo geschmückt war, sondern ein wahres Lapidarium wiederverwendeter römischer Plastiken aufwies. Die Vorliebe für eine derart reiche Anbringung nicht in die Architektur integrierter Skulpturen ist unromanisch und eher eine Ausnahme als die Regel. Wahrscheinlich war die Lombardei eine der Quellen der Plastik Westfrankreichs, aber hier wurde die skulpturale Dekoration immer der Architektur unterworfen, wie das bei den besten lombardischen Beispielen auch der Fall ist (Abb. 112). Die *corrente comasca* griff nach Deutschland über (*Quedlinburg*, Abb. 116; *Mainz*, Abb. 117), nach *England* (die Kathedrale von *Ely* hat z. B. drei lombardisch beeinflußte Portale), nach *Skandinavien* und *Polen*. Den Höhepunkt seiner Entwicklung in Italien erreichte er in der ersten Hälfte des 12. Jh., doch seine Auswirkung nördlich der Alpen war in einigen Fällen bis ins späte 12. Jh. spürbar, z. B. am Schottentor von *St. Jakob in Regensburg*.
Von den zahlreichen anderen Regionalschulen der Bildhauerei in Italien verdient die der *Toskana* spezielle Erwähnung. Anfangs hob sie sich nicht sehr deutlich ab, aber um die Mitte des 12. Jh. brachte sie sehr beachtliche Werke hervor. Zusammen mit der provenzalischen Schule entwickelte sie einen Stil, der so sehr der Antike verpflichtet ist, daß er oft als *Proto-Renaissance* bezeichnet wird. Die Kanzel, die als Arbeit eines *Guglielmo* um 1160 für

die Kathedrale von Pisa (jetzt in Cagliari/Sardinien) geschaffen wurde, gehört zu den Meisterwerken dieser Schule, wie auch das *Taufbecken von S. Frediano in Lucca* (Abb. 118). Man muß nur diese Arbeiten mit provenzalischen Plastiken vergleichen (Abb. 80), um zu erkennen, daß ihre stilistische Ähnlichkeit nicht nur auf gemeinsamen römischen Quellen beruht, sondern daß eine direkte Beziehung zwischen ihnen bestanden haben muß. Es ist dabei noch nicht mit Sicherheit entschieden, ob dieser Stil in der Provence entstand, oder ob nicht eher ein umgekehrter Verlauf anzunehmen ist. Die antikisierende Tendenz durch-

120 Marienportal. Parma, Baptisterium. Nach der Inschrift auf dem Türsturz 1196 von dem Bildhauer Benedictus (Benedetto Antelami) begonnen. Madonna mit Kind in der Hauptnische des Tympanons, links Anbetung der Könige, rechts Joseph, darüber zwei schwebende Engel. An der Archivolte Ranke mit zwölf Propheten, die Medaillons mit den Büsten der Apostel halten. Am Türsturz Taufe Christi und Enthauptung Johannes des Täufers. Stilistisch ist ein Einfluß von Elementen aus der Provence und der Ile-de-France anzunehmen, es fehlen jedoch wesentliche Merkmale der französischen Portale der Übergangsperiode, wie die Säulenfigur oder die übergreifende Archivoltenplastik.

121 Hauptportal der Kathedrale, Borgo S. Donnino (Fidenza). Frühes 13. Jh. Von Benedetto Antelami und seiner Werkstatt. Die Komposition verdankt einiges der Provence (Fries) und Nordfrankreich (Archivoltenplastik), doch es treten auch neue Elemente auf, wie die Statuen Davids und Ezechiels in den seitlichen Nischen. Die Skulptur verselbständigt sich und nimmt dadurch Renaissanceelemente vorweg.

122 Der ungläubige Thomas. Santo Domingo de Silos, Relief an einem Kreuzgangspfeiler. Spätes 11. Jh. Während die Kapitelle des Kreuzgangs (vgl. Abb. 69) auf islamische Vorbilder zurückgehen, basieren die Reliefs im Kreuzgang auf romanischen Elfenbeinen und mozarabischer Buchmalerei. Die „abgeplatteten“ Gewänder sind vielleicht von Cluny III (vgl. Abb. 82) abzuleiten. Übersichtlich gestaffelter Aufbau, zarter, linearer Stil. (Vgl. auch Abb. 174.)

123 Apostel. Santiago de Compostela, Kathedrale, Detail einer Marmorsäule von der Puerta de las Platerias. Um 1105. Drei Marmorsäulen enthalten in drei vertikalen Abschnitten Figurenpaare unter Arkaden. Anordnung ohne Vorläufer. Eine der Gestalten ist St. Peter, die übrigen sind vermutlich Apostel und Heilige. Es bestehen stilistische Beziehungen zur toulousanischen Skulptur vor der Porte Miègeville (vgl. Abb. 73), die handwerkliche Feinheit legt Verbindungen zur Elfenbeinschnitzerei nahe.

124 König David als Musiker. Santiago de Compostela. Granitrelief von der Westseite der Puerta de las Platerias. Um 1120. Enge Verbindung zum reifen „Stil der Pilgerstraßen“, z.B. zur Porte Miègeville in Toulouse und den Portalen von S. Isidoro in León. Typisch für diesen Stil sind die gerundete, wellige Modellierung und hohes Relief vor neutralem Grund.

125 Puerta de las Platerias. Santiago de Compostela, Kathedrale. Frühes 12. Jh., mit späteren Zusätzen. Wie in Toulouse machten die Querhausumgänge Doppelportale erforderlich, um die Anordnung eines Einzelportals in der Achse der Querhauspfeiler zu vermeiden. In Santiago gab es zwei solcher Portale, das nördliche wurde aber zerstört, einige seiner Skulpturen wurden an der Puerta de las Platerias, dem Doppelportal des Südtransepts, wiederverwendet. Ursprünglich, um 1105, hatten die Portale keine Tympana, diese wurden samt zahlreichen Reliefs um 1120 hinzugefügt.

126 Die Verdammten. Detail des Frieses von der Westfront der Kathedrale von Lincoln. Um 1145. Nachahmung des Frieses von Wiligelmo von Modena (vgl. Abb. 110), doch ikonographisch erweitert durch Hinzufügung neutestamentlicher Szenen und des Jüngsten Gerichts. Die Portale gingen

auf das Vorbild von St. Denis zurück, eines hatte Säulenfiguren. Die Darstellung der Höllenqualen wird auf dem Fries besonders hervorgehoben. Kraftvoller, plastischer Stil, der innerhalb der sonst überwiegend linearen, dekorativen englischen Bildhauerei ungewöhnlich ist.

127 SECHS APOSTEL UND FLIEGENDER ENGEL. Tympanon des Südportals der Abteikirche Malmesbury. Um 1165. Drei Einfassungen des Portals sind mit Skulpturen geschmückt, wie z. B. in Moissac. Über dem inneren Portal Majestas Domini, auf den Seitenwänden Apostel. Trotz französischer Elemente ist der Stil individuell, kraftvoll, stark plastisch, fast brutal. Stark betonte Modellierung der Gewandfalten, Übersteigerung der Gesten und des Ausdrucks.

128 KOPF EINES APOSTELS. Chichester, Kathedrale, Detail der Szene Christus in Bethanien. Um 1120. Zwei Reliefs und Fragmente vom Lettner erhalten. Aus der Inspiration durch ottonische Vorbilder (Hildesheimer Bernwardsäule, vgl. Bd. V, Abb. 142) erklärt sich vielleicht auch die Verwandtschaft des Gesichtstypus zu dem der Externsteinreliefs. (Vgl. Abb. 107.)

129 GRABSTEIN EINES KREUZRITTERS UND SEINER FRAU. 3. Viertel 12. Jh. Aus der Prioratskirche Belval. Nancy, Grabkapelle der Herzöge von Lothringen. Angeblich Grabmal des Grafen Hugues I. de Vaudémont, der – während des zweiten Kreuzzugs, 1147, totgeglaubt – 16 Jahre später zurückkehrte und bald danach starb; gekleidet als Jerusalempilger, der seine Frau umarmt. Zuneigung ist auf keinem anderen romanischen Grabmal in dieser Weise zum Ausdruck gebracht. Werk eines westdeutschen Bildhauers, stilistisch verwandt mit Skulpturen in Verdun und Metz.

130 TAUFBECKEN in der Pfarrkirche von Tryde (Schweden). 2. Hälfte 12. Jh. Beispiel einer Gruppe stilistisch origineller Taufbecken in Scania (Skåne) in Schweden (im 12. Jh. zu Dänemark gehörig). Nirgendwo sonst in Europa, außer in England, gibt es eine solche Vielfalt von Taufbecken wie in Skandinavien. Die Tiere an der Basis sind Nachahmungen italienischer Löwen, die als Träger von Säulen und mitunter auch von Taufbecken dienten. Am Becken Heiligenszenen in Flachrelief, wahrscheinlich aus dem Leben der hl. Aya. (Es handelt sich nicht um Stanislaus von Krakau, wie häufig angenommen wird, da dieser erst im 13. Jh. heiliggesprochen wurde.) Die Verbindung von Taufbecken und Basis wird durch Figurenpaare geschaffen, darunter zwei einander Umarmende, vielleicht Christus und Ecclesia. Volkstümlicher Stil.

131 TUGEND. Strzelno (Polen), Dreifaltigkeitskirche der Prämonstratensernonnen, Detail einer Säule. Um 1170. Die großen Säulen der Mittelschiffarkaden tragen eine Arkadenzone mit Reliefs der Tugenden und Laster. Es sind keine Parallelen für derart reichen Schmuck der Säulen im Kircheninnern bekannt, stilistisch abzuleiten aus Niedersachsen (Hamersleben, Huysburg, Hildesheim u. a. m. Vgl. auch Abb. 106.)

132 KAPITELL AUS DER KATHEDRALE VON NAZARETH. Detail. 3. Viertel 12. Jh. Jetzt im Franziskanerkloster. Fünf Kapitelle der Kathedrale blieben erhalten, die ein hochbegabter französischer Bildhauer schuf. Die Bewegtheit der Formen zeigt nahe Verwandtschaft zur spätburgundischen Schule (vgl. z. B. Abb. 87), die nächste Parallele ist unter den Kapitellen von Plaimpied (Berry) zu finden. Häufiger Einsatz des Bohrers und konzentrische Faltenwirbel sind charakteristisch für beide Gruppen von Skulpturen.

133 TORSO. Herkunft Heiliges Land. Chatsworth, Sammlung Herzog von Devonshire. 3. Viertel 12. Jh. Eigenwillige, konzentrische, tief unterschnittene, ornamentale Faltenanordnung. Stilistische Verwandtschaft zu Abb. 132, doch stärker bewegt.

134 DETAIL DES PORTALS. Von der Kirche in Ål (Norwegen). Um 1150. Oslo, Universitetets Oldsaksamling. Holz. Eine große Zahl ähnlicher Portale von Stabkirchen ist erhalten. Ihre Dekoration verbindet verschlungenes Tier- und Pflanzenornament in Art der Wikingerkunst mit Akanthus- und Löwendekor italienischer Herkunft, doch bis zur Unkenntlichkeit umgebildet durch die skandinavische Vorliebe für kompliziertes Ornamentgeschlinge.

△ 120

▽ 121

◁ 123
▷ 124

125

126 ▷

△ 127

▽ 128

▽ 129

130 ▷

△ 131

△ 132

▽ 133

▽ 134

drang praktisch die gesamte italienische Bildhauerei des späten 12. Jh. und war in Kampanien (*Salerno*, Abb. 119), Apulien, der Lombardei und der Emilia vorhanden. Genauso prägte sie die Kunst des *Benedetto Antelami von Parma* (Abb. 120), die schon zur Übergangsperiode gehört. Während aber in Frankreich der *Übergangsstil* zur Gotik führte, entwickelte sich in Italien daraus die noch weit mehr der Antike verpflichtete Kunst des *Niccolò Pisano*.

Wir haben bereits die Bedeutung der *ottonischen Kunst* für die Entwicklung der romanischen Plastik hervorgehoben. Der Einfluß ottonischer Elfenbeine und Metallarbeiten auf die frühe Skulptur des Roussillon, Burgunds und Spaniens ist evident, und wahrscheinlich werden künftige Untersuchungen erweisen, daß diese Einflüsse noch weit bedeutender waren, als bisher schon angenommen. Eigenartigerweise bestanden in *Deutschland* keine bedeutenden Bildhauerschulen, zumindest nichts, was mit dem Reichtum, der Vielfalt und dem hohen Niveau der französischen Entwicklung vergleichbar wäre. Es wurde zuvor schon auf die fruchtbare Verbindung der beiden verschiedenen Ströme hingewiesen, die im 11. Jh. getrennt waren, der Bauplastik und des bildhauerischen Kunsthandwerks. In Deutschland war die Bauplastik zunächst weitgehend Import, hauptsächlich aus der Lombardei (Abb. 116 und 117). *Regionalschulen* entwickelten sich ziemlich spät, wie z. B. am Niederrhein, im Elsaß, in Niedersachsen und Bayern. Vereinzelt entstanden hervorragende Werke wie die singulären Felsreliefs an den *Externsteinen* (Abb. 107) sowie zahlreiche bedeutende, aber meist kleine *Tympana*. Das *Portal* gewann in Deutschland nie eine so wichtige Bedeutung wie etwa in Frankreich, Italien oder Spanien. Wie im 11. Jh. war auch im 12. Jh. die deutsche Entwicklung durch Bildhauer gekennzeichnet, die Arbeiten für die innere Ausstattung der Kirchen schufen. Auf diesem Gebiet wahrten die deutschen Künstler ihre Überlegenheit als echte Nachfolger der ottonischen Kunsthandwerker. Diese Werke haben zumeist höchste Qualität, und der Erfindungsreichtum ihrer Formen und Dekorationstypen erscheint unerschöpflich (Abb. 97, 102–104, 106). Es überrascht nicht, daß diese Schöpfungen der ottonischen Kunst stärker verpflichtet sind als der zeitgenössischen Bauplastik Frankreichs und Italiens.

Die romanische Bildhauerei in *England* war – wie die Architektur – zuerst Import aus der Normandie, und sie blieb hauptsächlich auf die Hauptorte beschränkt. Nicht vor dem frühen 12. Jh. traten Regionalschulen in Erscheinung. Lombardische Einflüsse herrschten anfangs vor, um dann durch Formen verdrängt zu werden, die aus Westfrankreich kamen. Diese erreichten England etwa seit 1130, ein frühes Beispiel dafür ist eine Regionalschule in der westenglischen Grafschaft *Herefordshire*, wo der unmittelbare Einfluß von Aulnay und Parthenay-le-Vieux feststellbar ist. Englische Bildhauer nahmen Einflüsse verschiedenster Herkunft auf. Bei der Innendekoration ist ein Stil unter deutschem Einfluß nicht selten (Abb. 128). Zeitweilig wurden innerhalb eines Dekorationsgefüges mehrere Vorbilder verarbeitet, wie z. B. in der Kathedrale von *Lincoln*, dort hatte das Portal Säulenfiguren – eine der frühesten Nachahmungen von St. Denis außerhalb Frankreichs –, während der Fries darüber (Abb. 126) dem Vorbild Wiligelmos von Modena (Abb. 110) folgte. Im großen ganzen war aber in England die Monumentalskulptur (*Malmesbury*, Abb. 127) selten, hier bestand entschieden eine Vorliebe für ornamentale Lösungen.

In dieser Hinsicht waren die englische und die skandinavische Bildhauerei verwandt, vielleicht wirkt sich darin das gemeinsame Wikingererbe aus. Englischer Einfluß herrschte auch in Schottland vor und in geringerem Ausmaß in Irland, wo zudem unmittelbare künstlerische Beziehungen zu Westfrankreich bestanden. Die englische dekorative Bildhauerei spielte eine gewisse Rolle in *Skandinavien*, aber die entscheidenden Einflüsse kamen dorthin aus der Lombardei. In einigen Fällen wurde dieser *lombardische Stil* in nahezu reiner Form durch wandernde Künstler vermittelt – wie in *Lund* –, aber in den norwegischen Stabkirchen wurde er zu höchst originellen, dynamischen Bildungen transformiert, in denen die Vorliebe der Wikinger für kunstvolle, zoomorphe Verflechtungen nachlebte (*Ål/Norwegen*, Abb. 134).

In den Ländern Osteuropas hatte die Steinskulptur keine einheimische Tradition, daher mußten dort häufig fremde Künstler beschäftigt werden. In *Polen* (*Strzelno*, Abb. 131) herrschten Einflüsse aus Niedersachsen und der Lombardei vor, während in *Ungarn* einige eindrucksvolle Beispiele direkten Kontakt sowohl mit der Emilia als auch mit der Lombardei bezeugen.

In dem umkämpften Königreich der Kreuzfahrer *(Palästina)* war die Errichtung von Befestigungsanlagen vordringlicher als der Schmuck von Kirchen, daher waren dort die Voraussetzungen für die Entstehung einer lokalen Bildhauerschule ungünstig. Als Bildhauer waren hier hauptsächlich Franzosen tätig, und ihnen sind einige besonders schöne Einzelstücke zu verdanken (*Nazareth*, Abb. 132; Abb. 133). Obwohl darin französische Stilelemente erkennbar sind, enthalten sie doch auch fremdartige Elemente von fast orientalischem Reichtum, die möglicherweise dem Einfluß lokaler Traditionen zuzuschreiben sind.

METALLARBEITEN

Im Gegensatz zu der modernen Ansicht, daß Erzeugnisse der „angewandten Kunst" von geringerem Wert seien als die Produkte der hohen Künste – Architektur, Plastik und Malerei –, schätzten die Menschen des Mittelalters diese Werke sehr hoch ein. In zeitgenössischen Texten ist von ihnen weit mehr die Rede als etwa von der Bauplastik. Ein typisches Beispiel dafür bietet *St. Denis.* Abt Suger erwähnt im Bericht über seine Unternehmungen (De rebus in administratione sua gestis) nur beiläufig die drei Portale der Westfassade, aber er beschreibt ausführlich das, was er den „Schmuck" (ornamenta) seiner Kirche nennt: das goldene Altarantependium, das goldene Kruzifix, die farbigen Glasfenster, die Leuchter, den goldenen Kelch, den Sardonyxkelch, das Goldgefäß in Form eines Bootes, die mit Gold und Gemmen verzierte Kristallvase, die Porphyrvase mit der Adlerfassung aus Gold und Silber und vieles mehr. Einige dieser Objekte sind erhalten und machen Sugers Stolz verständlich, da sie künstlerisch und technisch hervorragend sind. Die mittelalterlichen Menschen waren natürlich vom materiellen Wert der goldenen, mit kostbaren Edelsteinen geschmückten Objekte beeindruckt, aber sie schätzten auch die handwerkliche Meisterschaft. Suger gebrauchte die rühmende Wendung „materiam superabat opus", die Arbeit übertraf das Material.

Wir wissen heute, daß nicht selten diese Werke der „Luxuskünste" (diese Bezeichnung trifft besser zu als „angewandte Kunst") an der Spitze der künstlerischen Entwicklung standen und daß Monumentalplastik und Malerei häufig ihrem Vorbild folgten und ihren Stil imitierten. Leider waren Kunstwerke aus Edelmetall größeren Gefahren ausgesetzt als etwa die steinernen. In Notzeiten wurden sie leicht verpfändet oder eingeschmolzen; in Krieg und Revolutionen wurden Kirchenschätze geplündert und selbst im Frieden bestohlen. Der dauernde Gebrauch der Kultgeräte machte Reparaturen und Änderungen erforderlich, und manche fielen dem Wechsel des Geschmacks zum Opfer. Die reichen Schätze der Klöster waren, besonders in Zeiten der Unterdrückung der Orden, unbarmherzigen Eingriffen ausgesetzt. Vor allem in England wurden die „abergläubischen" Objekte der kirchlichen Luxuskünste durch die Reformation und die Angriffe der Puritaner im 17. Jh. fast völlig vernichtet. Daher beschränkt sich unsere Kenntnis des alten englischen Kunsthandwerks auf eine sehr kleine Zahl von Gegenständen, die schon im Mittelalter aus England exportiert worden waren oder im Lande verborgen blieben oder in Gräbern lagen. Obwohl wir daher nie mehr einen vollständigen Überblick über diesen Zweig des künstlerischen Schaffens gewinnen können, lassen sich doch aus dem erhaltenen Material einige generelle Schlüsse ziehen.

Die romanischen Metallarbeiten wurden in vielen, sehr verschiedenen Techniken hergestellt. Glücklicherweise ist ein Traktat „Über die verschiedenen Künste" *(De diversis artibus)*, wahrscheinlich aus dem frühen 12. Jh., überliefert, der eine detaillierte Aufzählung der damals gebräuchlichen Techniken enthält. Sein Autor war ein Mönch und Priester, *Roger*, mit dem Pseudonym *Theophilus*, der selbst Künstler war. Mit guten Gründen wird angenommen, daß er ein Deutscher war und identisch ist mit *Roger von Helmarshausen*, einem Mönch und Metallkünstler (Abb. 143). Theophilus widmete den größten Teil seines Trak-

135 VERTREIBUNG AUS DEM PARADIES. Verona, S. Zeno Maggiore, Detail der Bronzetüren. Um 1140. Die Türen bestehen aus zwei hölzernen Flügeln mit aufgenagelten gegossenen Bronzeplatten. Zwei verschiedene Stile sind festzustellen, der eine wird meist ins späte 11. Jh., der andere ins späte 12. Jh. datiert. Wahrscheinlich wurden jedoch die früheren Bronzetafeln nicht schon im 11. Jh., sondern erst um 1138 gegossen, als das Portal fast vollendet war. Stilistische Beziehungen bestehen zu den ottonischen Hildesheimer Bronzetüren (vgl. Abb. 136 und Bd. V, Abb. 140/141), aber die Gestalten sind zu gedrungenen, geometrischen Formen vereinfacht. Psychologische Beobachtung gibt ihnen Leben und Charakter. Wahrscheinlich Arbeiten der Magdeburger Werkstatt, die später die Bronzetüren schuf, die sich heute in Nowgorod befinden.

136 VERTREIBUNG AUS DEM PARADIES. Hildesheim, Dom, Detail der Bronzetüren. 1015 von Bischof Bernward für St. Michael in Hildesheim in Auftrag gegeben. Die biblischen Szenen aus karolingischer Buchmalerei abgeleitet. Massiver Guß der beiden Türflügel. Bedeutendes Vorbild romanischer Künstler. (Vgl. Abb. 135 und 137.)

137 ERSCHAFFUNG ADAMS. León, S. Isidoro. Kirchenschatz. Detail des reliefierten vergoldeten Silberschreins, der 1063 vom Ferdinand I. und Doña Sancha gestiftet wurde. Einfluß der Hildesheimer Bronzetüren, wie dort Köpfe plastischer als die Körper. Im Gegensatz zu den natürlicheren Formen des ottonischen Vorbilds sind hier die Figuren geometrischer konzipiert. (Vgl. Abb. 136.)

138 DIE DREI WEISEN UND ADAM UND EVA. Pisa, Dom, Detail der Bronzetüren von der Porta di S. Ranieri. Bonanus von Pisa, um 1180. Der Guß erfolgte in 20 Tafeln, die auf den hölzernen Türflügeln befestigt sind. Bonanus schuf außerdem das zerstörte Hauptportal und 1186 die Bronzetüren für Monreale in Sizilien. Die byzantinischen Elemente seines Stils finden sich ähnlich in der zeitgenössischen pisanischen Steinplastik. Einige Szenen (z. B. die Vertreibung aus dem Paradies, unten Mitte) gehen auf byzantinische Elfenbeine zurück.

139 ST. HADELINUS HEILT EINE STUMME FRAU. Visé, Kirche, Detail des Hadelinusschreins, der sich ursprünglich in der Abtei Celles befand. Um 1140. Silber, vergoldet, Heiligenscheine brüniert. Frühester Schrein der Maaskunst. Die Dreidimensionalität ist, wie im Lütticher Taufbecken (Abb. 105), auch hier vorhanden. Die gerundete Faltenführung betont die Körperstruktur.

140 FÜRBITTE DES HL. ADALBERT VOR KÖNIG BOLESLAV II. VON BÖHMEN. Gniezno (Gnesen), Dom, Detail der Bronzetüren. Um 1170. Beide Flügel massiv gegossen. Jede Szene wird durch eine Rahmenleiste umschlossen, jeder Türflügel hat eine Umrahmung von „bewohnten Ranken". Flaches Relief, eigenwillige geritzte Draperien, dekorative Wirkung. Fälschlich wird von manchen Forschern Verbindung zur Maaskunst angenommen. Die Buchmalerei beeinflußte Stil und Ikonographie der Darstellung des 997 gestorbenen Heiligen.

141 RELIQUIARTRIPTYCHON DES HEILIGEN KREUZES. Um 1160. Lüttich, Ste. Croix. Höhe: 55 cm. Silber vergoldet, Treibarbeit. Im Mittelfeld weisen zwei stehende Engel (Veritas und Judicium) mit Leidenswerkzeugen die Reliquie des Wahren Kreuzes (Stiftung Kaiser Heinrichs II.) in Kastenrahmung mit der Inschrift LIGNU(M) VIT(A)E vor. Darüber kleine Emailplatte mit Engel (Misericordia). In der Lünette unten Auserwählte. Auf den Flügeln Apostelbüsten in drei Zonen. In der Halbkreisbekrönung des Aufsatzes Christus, der die Wundmale zeigt. – Beispiel der Maaskunst, die den antikisierenden Stil fortsetzt, der zuerst im Lütticher Taufbecken (Abb. 105) auftritt und zur protogotischen Plastik der Ile-de-France hinführt.

142 TRÄGERFIGUR VOM KRODOALTAR. Frühes 12. Jh. Goslar, Museum. Ursprünglich im Dom. Bronzeguß. Eine von vier Stützfiguren, von antiken Atlasdarstellungen inspiriert. Ein Vergleich mit dem Erzbischofsthron von Bari (Abb. 109) zeigt, daß der niedersächsische Künstler die freistehende Figur einem geometrischen Schema unterwarf, während der apulische Bildhauer dem antiken Vorbild näher blieb.

135 ▷

△ 136

▽ 137

▽ 138

△ 139 ▽ 140

141

142 ▷

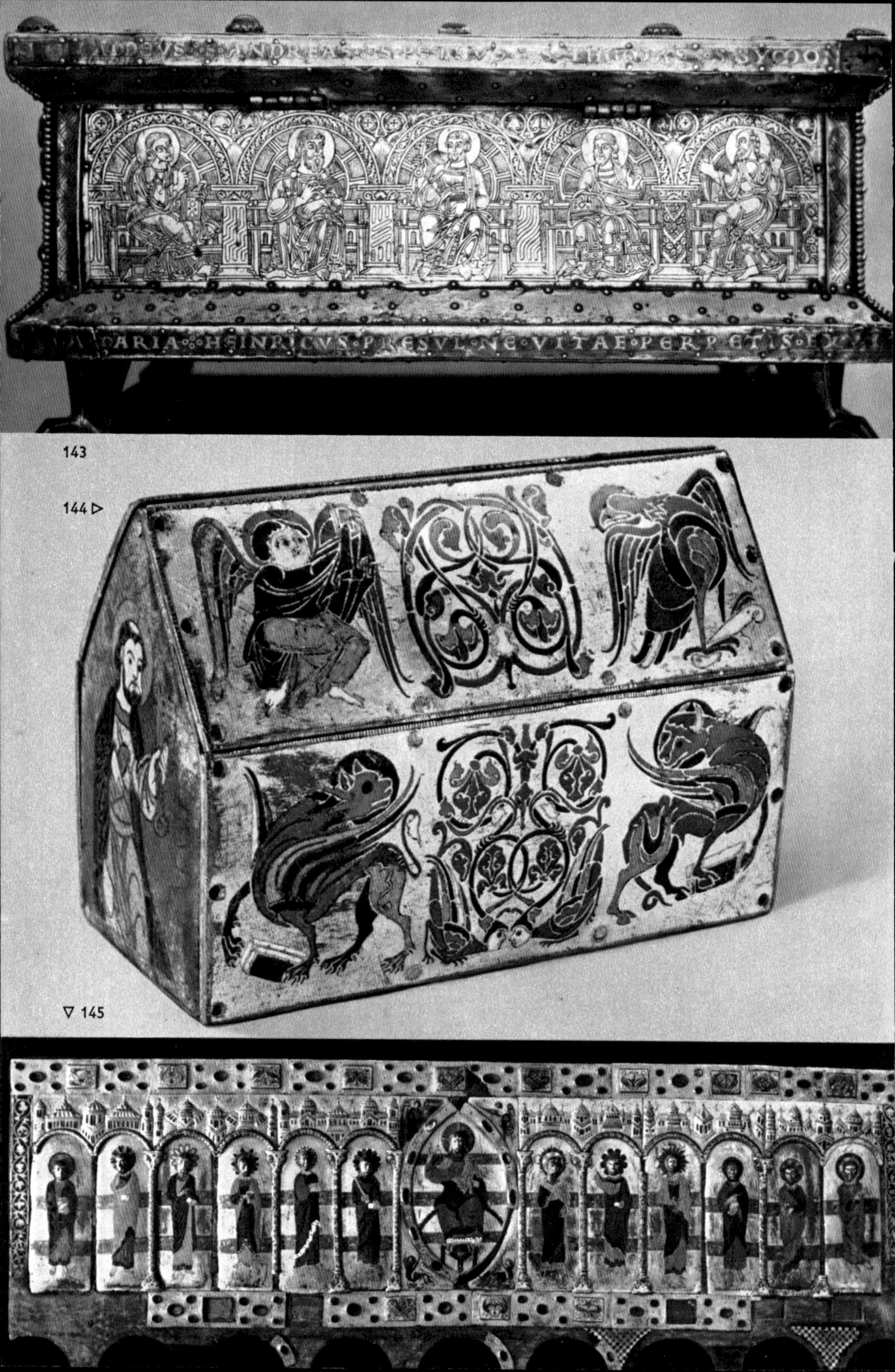

143

144 ▷

▽ 145

OCIA·S·EGO·SECTANES:
DIC·EX P O· CVM·MVNDVM

tats der *Metallbearbeitung*, und so stellt sein Text eine Fundgrube an Informationen über Werkstattausstattung und Werkzeug dar, über verschiedene Metalle, Guß und Treibarbeit, Hämmern, Gravieren, Vergolden, Punzen, Braunfirnis, Niello, Email, Durchbrucharbeit und über die Fertigung verschiedener Gegenstände, wie Kelche, Weihrauchgefäße, Orgeln und Glocken. Schon in karolingischer und vor allem dann in ottonischer Zeit hatte die Kunst der Metallbearbeitung in Deutschland ein sehr hohes Niveau erreicht. Der Ruf des deutschen Metallhandwerks spiegelt sich z.B. in der Bezeichnung „opus teutonicum" (deutsche Arbeit) für ein Gitter aus Bronze, Gold und Silber in Beverly Minster (Yorkshire), um 1065; damit war nicht unbedingt ein deutscher Künstler gemeint, sondern die

143 St. Peter und vier Apostel. Längsseite des Tragaltars der hll. Kilian und Liborius. Gestiftet von Bischof Heinrich von Werl (1084 bis 1127). Geschaffen von dem Mönch Roger von Helmarshausen, um 1100. Paderborn, Dom. Höhe: 16,5 cm. Silber, graviert. Die Hauptquelle von Rogers dynamischem Stil war die byzantinische Gewandbildung mit „nassen Falten", die er modifizierte, um ein einheitliches Muster gerahmter Formen zu erhalten, das Figuren und Hintergrundornament gleichermaßen umfaßt. Jede Einzelform wird durch rein lineare Mittel wiedergegeben, Einheit an Einheit gefügt. Und doch erscheinen durch diese ornamentale, geometrische, abstrakte Methode die Figuren fast dreidimensional. Dies ist romanischer Stil par excellence.

144 Die vier Evangelistensymbole. Reliquienkästchen. Um 1150. New York, Metropolitan Museum. Grubenschmelz. Seitlich ist der hl. Martial dargestellt, dessen Reliquien in Limoges besonders verehrt wurden. Limoges wurde im 12. Jh. zum wichtigsten Zentrum der Emailherstellung; dieses Objekt ist vermutlich dort entstanden, trotz seiner Verwandtschaft mit spanischen Arbeiten. (Vgl. Abb. 149, 150.)

145 Majestas Domini und zwölf Apostel. Altarantependium von Santo Domingo de Silos. 3. Viertel 12. Jh. Burgos, Museo Arqueológico. Höhe: 85 cm, Länge: 2,35 m. Vergoldetes Kupfer mit Grubenschmelzplatten. (Detail, Abb. 149). Hieratische Emailfiguren unter byzantinischem Einfluß. Köpfe Reliefguß. Klare, reiche Farbigkeit. Vielteilige Architekturrahmung. Randstreifen mit Halbedelsteinen sowie kleinen Emailplaketten mit Tier- und Rankenornament (ähnlich Abb. 144).

146 Altar von Broddetorp (Vestergötland, Schweden). Jetzt Stockholm, Statens Historiska Museum. Vergoldetes Kupferrelief, teilweise mit Braunfirnis. Der Altar besteht aus dem Antependium, einem schmalen Aufsatz mit seitlichen Knäufen und einem Kruzifix. In der Mitte des Antependiums thronender Christus in Mandorla, von vier Engeln getragen. Darüber Tondi mit Sonne und Mond auf ihren Wagen. In der unteren Zone Sitzfiguren der zwölf Apostel. In den übrigen zwölf Feldern Szenen des Neuen Testaments, von der Verkündigung bis zur Auferstehung. An den Ecken Evangelistensymbole (beschädigt), ebensolche an den Endungen des Kreuzes. Reiche brünierte Rankenrahmung, „bewohnte Ranken" am Altaraufsatz und am Kreuz. Beispiel einer Gruppe skandinavischer Altäre, in denen sich Einflüsse aus England und Deutschland mischen. Die Vorliebe der Wikinger für reiche ornamentale Bewegtheit ist hier noch lebendig.

147 Majestas Domini. Groß-Komburg bei Schwäbisch Hall, Detail des Altarantependiums. Auftraggeber Abt Hartwig, um 1130. Gesamthöhe: 78 cm. Vergoldetes Kupfer, Treibarbeit mit Emaileinlagen. Die stehende Frontalfigur Christi mit ihrem klaren Umriß erinnert an die vertikalbetonten Evangelisten des Freudenstadter Lesepults (Abb. 103), aber das Gewand fällt natürlicher, in fließenden Kurven, vermutlich unter Einfluß der Maaskunst.

◁ 147

Technik der Metallbearbeitung wurde mit dem ausgezeichneten deutschen Kunsthandwerk assoziiert.

Während der romanischen Epoche gab es im deutschen Reichsgebiet drei Hauptzentren der Metallbearbeitung: Niedersachsen, Maasgebiet, Niederrhein. In *Niedersachsen* geht die Tradition des großformatigen Bronzegusses bis in das frühe 11. Jh. zurück. Die *Bernwardsäule* und die *Hildesheimer Bronzetüren* (Abb. 136 und Bd. V, Abb. 140–142) sind die bekanntesten ottonischen Bronzearbeiten dieser Gegend. Sie fanden ebenbürtige romanische Nachfolger in der *Grabplatte Rudolfs von Schwaben in Merseburg*, um 1080, (Abb. 104) und im *Braunschweiger Löwen* von 1166 (Abb. 108). Gegen die Mitte des 12. Jh. war *Magdeburg* ein international bekanntes Zentrum für den Bronzeguß. Wahrscheinlich wurden auch die frühen *Bronzetüren von S. Zeno in Verona* (Abb. 135) von Magdeburger Künstlern gegossen, die ihrerseits aus S. Zeno einige Motive der plastischen Dekoration des Meisters Niccolò in ihren späteren Werken verwendeten, z. B. am *Grab des Erzbischofs Friedrich von Wettin* (gest. 1152) im Magdeburger Dom und den *Bronzetüren für die Kathedrale von Plock* in Polen (jetzt in Nowgorod).

Einer der wichtigsten und einflußreichsten Metallbearbeiter in Niedersachsen war unzweifelhaft *Roger von Helmarshausen (Theophilus)*. Zu seinen erhaltenen Werken gehören zwei *Tragaltäre*, der eine für die hll. Kilian und Liborius im Dom zu Paderborn (Abb. 143), der andere für den hl. Blasius für die Abdinghofabtei (Paderborn, Franziskanerkirche). In diesen Werken, die auf byzantinischen Vorbildern basieren, entwickelte Roger einen linearen, dynamischen Stil, der lange Zeit vorbildlich blieb.

Es gibt kaum einen größeren Gegensatz als der zwischen den bewegten Figuren Rogers, die aus vielen kleinen, mit gravierten Linien klar umrissenen Einzelformen zusammengesetzt sind, und dem nahezu gleichzeitigen Stil der *Maasschule* mit *Lüttich* als Hauptzentrum. Die Maaskunst weist unter allen Regionalschulen des 12. Jh. den deutlichsten Charakter und die kontinuierlichste Entwicklung auf, und zwar in allen Medien, Malerei, Plastik, Elfenbeinschnitzerei wie auch Metallbearbeitung. Drei Künstler der Maasschule aus aufeinanderfolgenden Generationen prägten das Gesicht des Jahrhunderts: *Reiner von Huy*, *Godefroid de Claire* und *Nikolaus von Verdun*. Der erste schuf den Bronzeguß des *Taufbeckens in Lüttich*, 1107–1118 (Abb. 105), das zu den Meisterwerken der europäischen Kunst zählt. Die Gestalten sind – im Gegensatz zu denen Rogers von Helmarshausen – wirklich dreidimensional, der Aufbau des menschlichen Körpers wird verstanden und anatomisch korrekt wiedergegeben, die Bewegungen und Gesten wirken natürlich. Und doch sind diese Gestalten keineswegs naturalistisch, sondern idealisiert. Die sanften, gerundeten Formen sind offensichtlich nicht vom Naturvorbild abgeleitet, sondern von „klassischen“ Modellen. Es wurde daher überzeugend vermutet, der Stil Reiners sei von *ottonischen Elfenbeinen* aus Lüttich herzuleiten, die wiederum auf Elfenbeine der Metzer Schule aus der zweiten Hälfte des 9. Jh., die von spätantiken Vorbildern inspiriert sind, zurückgehen. Der „Klassizismus“ des Lütticher Taufbeckens entsprang nicht der Phantasie eines einzelnen Künstlers, sondern es handelt sich dabei um Gestaltungstendenzen, die die gesamte künstlerische Produktion der Maasschule durchdrangen, vor allem die Buchmalerei. Diese Ausdrucksweise entwickelte sich während des 12. Jh. weiter, um dann im Werk des *Nikolaus von Verdun* zu kulminieren. Der *Hadelinusschrein von Visé*, um 1140 (Abb. 139), läßt sich unmittelbar vom Stil des Reiner von Huy ableiten; da aber der Künstler sich nicht ganz von den Konventionen der romanischen Kunst befreien konnte, sind seine Figuren noch immer aus einzelnen Einheiten unter starker Betonung der ornamentalen Werte zusammengesetzt. In den Werken seit der Mitte des 12. Jh., besonders in Emailarbeiten, die *Godefroid de Claire* zugeschrieben werden oder mit ihnen verwandt sind, bekommen die Gestalten größere Plastizität und organische Einheitlichkeit. Die Gewandfalten sind röhrenförmig und haben nicht mehr ausschließlich dekorative Bedeutung, sondern sie sind organisch, da sie dazu dienen, die Struktur und die Bewegung des Körpers, den sie bedecken, zu verdeutlichen. Diese neue Stilphase (vgl. den *Fuß des Kreuzes von St. Bertin*, Abb. 148) der Metallarbeiten und der Malerei des Maasgebiets übte großen Einfluß aus auf die Nachbarregionen, Niederrhein, Nordostfrankreich und sogar England. Aus ihr entwickelte sich die Kunst des Nikolaus von Verdun und die gesamte künstlerische Bewegung, die das Ende der romanischen Kunst brachte. (Vgl. Bd. VII, S. 53 ff.)

Die Metallbearbeitung im *Niederrheingebiet*, mit *Köln* als Zentrum, war nicht minder wichtig für die Kunstentwicklung wie die des Maasgebiets, zu dem enge Beziehungen bestanden. Das berühmte *Werdener Kruzifix* (Abb. 102), ein großer Bronzeguß aus der Zeit um 1070, wurde vielleicht in Köln geschaffen, obwohl es sich ursprünglich in Helmstedt in Niedersachsen befand. Die Kölner Entstehung wird mit stilistischen Parallelen in der Kölner Buchmalerei begründet. Diese Zuschreibung ist jedoch nicht zweifelsfrei gesichert, denn die monumentalen Bronzen jener Zeit sind meist niedersächsisch; und das einzige vergleichbare, wenn auch etwas spätere *Bronzekruzifix in Minden* ist sicher eine niedersächsische Arbeit. Das rheinische Äquivalent zu dem klassizistischen Stil, der sich in der ersten Hälfte des 12. Jh. im Maasgebiet entwickelte, waren die Werke des *Eilbertus von Köln* und seiner während des zweiten Viertels des Jahrhunderts tätigen Nachfolger. Wahrscheinlich wurde in dieser bedeutenden Werkstatt die Technik des *Grubenschmelzes (Champlevé)* für das nördliche Europa wiederbelebt (vgl. den *Schrein des hl. Victor in Xanten*, um 1129). Im *Tragaltar des Eilbertus* aus dem Welfenschatz des Braunschweiger Doms (jetzt in Berlin) sind die seitlichen Prophetenfiguren in Grubenschmelz ausgeführt, der noch deutlich an den *Zellenschmelz (Cloisonné)* mit Metallstegen zur Trennung der Farben erinnert, folglich ist dieser Stil noch ziemlich starr. Aber die Apostel und die neutestamentlichen Szenen oben am Altar sind in einem flüssigeren Stil ausgeführt, der die Lebendigkeit und Bewegung des Roger von Helmarshausen mit der geschmeidigen Plastizität der Maaskunst vereint. Eine Spezialität der Kölner Metallkunst waren *Reliquiare* von ausgesuchter Gestalt, oft in Form kleiner Kuppelkirchen; häufig wurden Goldschmiedearbeit mit Emailplatten und Elfenbeinschnitzerei kombiniert. Aber die bedeutendsten Kölner Schreine sind jene, die den Einfluß der Maaskunst zeigen. Der große *Heribertschrein in Deutz* bei Köln, der um 1160 in Gestalt eines antiken Sarkophags geschaffen wurde (er ist 1,53 m lang und 68 cm hoch), ist mit Email, getriebenen Figuren und Ornamenten geschmückt.

Aachen war schon in karolingischer Zeit ein führendes Zentrum der Metallbearbeitung, als die Bronzetüren und Gitter für das Münster gegossen wurden (vgl. Bd. V, Abb. 78). Von den romanischen Aachener Arbeiten stehen die bedeutendsten mit *Friedrich I. Barbarossa*

in Verbindung. Dazu gehört der vergoldete Bronzekandelaber, den er zum Andenken der Heiligsprechung Karls d. Gr. 1165 stiftete, die vergoldete Taufschale mit der gravierten Szene der Taufe des Kaisers, die zwischen 1155 und 1171 dem Grafen Otto von Kappenberg, dem Taufpaten des Kaisers, geschenkt wurde, sowie die Porträtbüste Friedrichs, die später als *Kopfreliquiar* Verwendung fand (Abb. 153). Diese merklich vom Klassizismus der Maaskunst beeinflußten Werke gehen um einige Jahre dem Erscheinen des *Nikolaus von Verdun* in Köln voraus. Nikolaus arbeitete, nachdem er 1181 die Kanzel von Klosterneuburg (die im 14. Jh. zu einem Altar umgewandelt wurde) vollendet hatte, zweifellos am Annoschrein in Siegburg mit, der 1183 fertig wurde, und bald darauf wandte er sich dem Dreikönigsschrein für den Kölner Dom und dem Marienschrein von Tournai zu, der 1205 fertiggestellt war (vgl. Bd. VII, Abb. 140, 141). Mit diesen Werken des bedeutendsten Künstlers der Maasschule war die romanische Epoche schon überschritten.
Die englischen romanischen Metallarbeiten waren mit der kontinentalen Entwicklung eng verbunden. Der berühmte *Leuchter von Gloucester* (Abb. 152) aus der Zeit um 1100 ist durch seinen feinen, verästelten Bronzeguß eine handwerkliche Meisterleistung. Seine Motive stammen aus frühromanischen Buchillustrationen der Schule von Canterbury, aber die Grundform geht auf die ottonischen Silberleuchter des Bernward von Hildesheim zurück. Verbindung zur Buchmalerei zeigt auch der *Türklopfer der Kathedrale von Durham* (Abb. 154), vielleicht der originellste unter den vielen in ganz Europa erhaltenen Türklopfern. Das *englische Email* verdankt stilistisch sehr viel der Maaskunst, unterscheidet sich aber doch von ihr. Am selbständigsten erscheint eine Tafel mit dem Jüngsten Gericht, eine sehr

148 FUSS DES KREUZES VON ST. BERTIN. Um 1160–1170. St. Omer, Museum. Höhe: 31 cm. Vergoldete Bronze, Grubenschmelzemail. Vermutlich kleinere Fassung eines großen Kreuzes, das unter Abt Suger für St. Denis angefertigt wurde. Den gewölbten Fuß stützen vier sitzende Evangelisten, hinter ihnen ihre Symbole. An der Wölbung und am rechteckigen Schaft darüber alttestamentliche Szenen in Email (abgebildet: Jakobs Segen, Genesis 48; Elia und die Witwe von Sarepta, 1. Könige, 17, 8–16). Die Bronzebüsten am Kapitell oben sind Personifikationen der Elemente – die Gestalt mit erhobenen Armen ist die Luft. Werk der Maaskunst von hervorragender Qualität und technischer Perfektion, in direkter Linie vom Stil des Lütticher Taufbeckens abzuleiten. (Vgl. Abb. 105.)

149 MAJESTAS DOMINI. Mittelfeld des Antependiums von Santo Domingo de Silos. (Vgl. Abb. 145.)

150 MAJESTAS DOMINI. Emailbuchdeckel. 1. Hälfte 12. Jh. Paris, Musée de Cluny. Höhe: 23,6 cm, Breite: 13,6 cm. Dieses Email wurde Limoges und Spanien zugeschrieben, doch ist es offensichtlich dem Antependium von Silos (Abb. 149) verwandt, sowohl in der Technik (vgl. z. B. die gegossenen Köpfe) als auch im Stil. Die weniger organische, ornamentale Zeichnung der konzentrischen Falten deutet auf frühere Entstehung als die Tafeln von Silos.

151 GRABPLATTE DES GEOFFREY VON ANJOU, gest. 1151. Zwischen 1151 und 1160. Ursprünglich in St. Julien, Le Mans. Le Mans, Museum. Höhe: 63 cm. Zellenschmelz. Der Verstorbene ist lebend mit Zeremonialgewand und Schwert unter einer Bogenarchitektur vor gemustertem Grund dargestellt. Auf dem konischen Helm ist ein Wappenlöwe abgebildet, vier weitere auf dem Schild. Obwohl das Material verschieden ist, bestehen doch engste Stilbeziehungen zur gleichzeitigen Steinplastik. (Vgl. die Tugenden von Aulnay, Abb. 91.)

148 ▷
149 ▷
150 ▷

LV CAS

bewegte Komposition, deren linearer Stil dem der englischen Buchmalerei des zweiten Viertels des 12. Jh. ähnelt. Eine ziemlich große Anzahl von *Taufbecken aus Blei* des 12. Jh. ist in England erhalten, ihr Typus und ihre Verbreitung lassen auf eine blühende Industrie schließen, verständlich, da England während des Mittelalters in der Bleigewinnung führend war. Die einzigen urkundlich erwähnten *Bronzetüren* in England waren die im zweiten Viertel des 12. Jh. für die Abtei Bury St. Edmunds gefertigten. Sie wurden nach der Auflösung der Abtei, 1539, zerstört. Die großen *Osterleuchter* – der von Durham erstreckte sich über die ganze Chorbreite –, die in mittelalterlichen Urkunden erwähnt werden, sind alle verschwunden. Manche Forscher nehmen englischen Ursprung für einige der großen *Metalleuchter* an, die in anderen Ländern erhalten sind. Das gilt besonders für einen großen Leuchterfuß in Reims aus dem zweiten Viertel des 12. Jh. und einen vollständigen Leuchter im Dom von Mailand, der der Übergangsphase um 1200 angehört.
In *Dänemark* und *Schweden* hat sich eine Gruppe *vergoldeter Altarantependien* erhalten, die von dänischen Künstlern stammen (*Altar von Broddetorp*, Abb. 146). Sie zeigen englische und niedersächsische Stileinflüsse. Französische romanische Metallarbeiten sind nur aus vereinzelten Beispielen bekannt; ihre Entwicklung ist daher schwer zu verfolgen. Die Herstellung holzgeschnitzter Kultbilder, die mit getriebenen Edelmetallfolien bedeckt wurden, hatte in Zentralfrankreich eine lange Tradition. Die berühmte *hl. Fides von Conques* aus dem 10. Jh. (Bd. V, Abb. 130) ist das älteste überlieferte Beispiel. Nur wenige *romanische Kultbilder* dieses Typus sind erhalten (vgl. Abb. 98). *Emailarbeiten* wurden zweifellos aus dem Maasgebiet nach Frankreich eingeführt. Die Anfänge der Emailindustrie, die sich in *Limoges* in der zweiten Hälfte des 12. und im 13. Jh. so bedeutend entfaltete (Abb. 151), sind unklar, besonders da einige der frühen Arbeiten in Stil, Farben und Zeichnung solchen Werken eng verwandt sind, die wahrscheinlich in *Spanien* entstanden (vgl. Abb. 144, 145, 149, 150).
In *Spanien* rief der frühe Einfluß ottonischer Künstler und importierter Kunstwerke eine Blüte aller Luxuskünste hervor. Das *Reliquiar des hl. Isidor in León* (Abb. 137), das um 1063 entstand, war, obwohl eine Silbertreibarbeit, ohne Zweifel von den *Bronzetüren von Hildesheim* beeinflußt (vgl. Abb. 136). Aber bald schon entwickelten die spanischen Werke einen Stil, der von fremden Vorbildern weniger abhängig war, sondern auf heimische, *mozarabische Quellen* zurückgriff, oft kombiniert mit *islamischen Dekorationselementen*. Die berühmte *Arca Santa*, ein großes Silberreliquiar, das 1075 von Alphonso VI. für die Kathedrale von *Oviedo* gestiftet wurde, enthält an den Seiten getriebene und am Aufsatz gravierte Darstellungen von großem Reichtum. Die bewegten Figuren haben zeichnerische Qualitäten, die eine Verbindung zur Buchmalerei vermuten lassen, und die kufische Inschrift, die als Ornamentrahmen dient, deutet auf Kontakte zu der verfeinerten Kultur der Araber hin, die noch im Besitz großer Teile der Pyrenäenhalbinsel waren.
Die Überschneidung zahlreicher künstlerischer Einflüsse aus vielen Richtungen, die charakteristisch für die gesamte romanische Kunst in *Italien* ist, läßt sich auch in den erhaltenen Metallarbeiten feststellen. *Byzantinische Einflüsse* waren in *Venedig* vorherrschend, wo häufig geschickte Nachahmungen griechischer Vorbilder hergestellt wurden. Aber die
◁ 151 byzantinische Kunst fand auch in anderen Gegenden Italiens Anklang. So wurden z. B.

häufig gravierte *Bronzetüren* in Konstantinopel in Auftrag gegeben und italienischen Kirchen gestiftet (Amalfi; Monte Cassino; Rom, S. Paolo fuori le mura; Monte Gargano). Einheimische Künstler ahmten diese Vorbilder nach (Canosa, Grab des Bohemond). In Norditalien bestanden enge Beziehungen zu Deutschland, und zeitweilig wurden deutsche Künstler berufen, wie es z. B. für die *Bronzetüren von S. Zeno in Verona* wahrscheinlich ist (Abb. 135). Aber die italienischen Künstler waren durchaus selbst imstande, Bronzetüren herzustellen, und in keinem Land sind so viele Bronzetüren erhalten wie in Italien. Die Kathedrale von Troia besitzt zwei Türen, eine ist 1119 datiert, die andere von 1127 schuf *Oderisius von Benevent.* Im späten 12. Jh. fertigte *Barisanus von Trani* Türen für Trani, Ravello, 1179, und Monreale bei Palermo. *Bonanus von Pisa* goß zwei Türen für den Dom von Pisa, von denen eine erhalten ist (Abb. 138), und eine für Monreale. Zellenschmelz wurde in Italien unter byzantinischem Einfluß hergestellt, während die Grubenschmelztechnik im Lauf des 12. Jh. aus dem Norden eingeführt wurde. Wie in den andern Ländern gehörten Metallgegenstände verschiedenster Art zum Inventar der Kirchen, und viele dieser romanischen Kirchenschätze, die seit 800 Jahren dem liturgischen Gebrauch dienen, sind noch erhalten.

152 MARKUSLÖWE. Detail des Leuchters von Gloucester. Der Abtei Gloucester von Abt Peter um 1110 gestiftet. London, Victoria and Albert Museum. Gesamthöhe: 58,4 cm. Vergoldeter Bronzeguß. Grundform und Dekorationsschema basieren auf Leuchtern Bernwards von Hildesheim, die 100 Jahre früher entstanden. Der reich durchbrochene Leuchter besteht aus kleinen Figuren, Tieren und Ungeheuern, die durch Ranken und und Blattwerk klettern oder miteinander kämpfen. Nur am Mittelknauf befinden sich religiöse Motive, die Evangelistensymbole. Das bewegte Ornament zeigt Verwandtschaft mit zeitgenössischen Manuskripten von Canterbury, wo der Leuchter vielleicht entstand.

153 KOPFRELIQUIAR, SOG. PORTRÄT FRIEDRICHS I. BARBAROSSA. Um 1160. Kappenberg (Westfalen), Schloßkirche. Höhe: 32 cm. Bronzeguß. Die Augen in Niellotechnik eingefügt. Ausdrucksvoll stilisierter Kopf mit feiner Haar- und Bartzeichnung, getragen von drei Engeln auf Zinnenkranz. Auf der Rückseite befand sich ursprünglich die Gestalt Ottos von Kappenberg (gest. 1171); erhalten nur die Inschrift OTTO. Laut Urkunde stiftete Otto diese Büste der Prämonstratenserabtei Kappenberg als Reliquiar, das Haare Johannes des Täufers enthielt, die Büste sei „nach dem Bildnis des Kaisers" geschaffen. Es ist jedoch nicht sicher, ob es sich ursprünglich um eine Porträtbüste Friedrichs handelte (dessen Taufpate Otto von Kappenberg war), die erst später als Reliquiar verwendet wurde. Jedenfalls geht dieser frühe Versuch eines Porträts über die stereotype Formel des Herrscherbildes (vgl. z. B. Abb. 104) hinaus. Der Barbarossakopf folgt Beispielen römischer Porträtköpfe (vgl. Bd. III. Abb. 171), im Gegensatz zu der symbolischen Darstellung Heinrichs des Löwen (Abb. 108).

154 TÜRKLOPFER. Um 1130. Durham, Kathedrale. Nordportal. Bronzeguß. Löwenköpfe dienten häufig als Türklopfer. Hier eine schreckenerregende Teufelsfratze mit Löwenmähne, am Ring Tierköpfe. Englische Arbeit, verwandt mit Initialmotiven der lokalen Buchmalerei.

152 ▷

153

154 ▷

ELFENBEIN

Die Bedeutung der *Elfenbeinschnitzerei* kann kaum überschätzt werden. Zur Zeit des Niedergangs der Monumentalplastik, vom Ende des römischen Imperiums bis zum 11. Jh., gehörte sie zu den wenigen künstlerischen Formen, in denen die plastische Gestaltungskraft weiterlebte. Zur Zeit der Karolinger blühte die Elfenbeinschnitzerei, und die Wiederbelebung der Bildhauerei in der ottonischen Kunst beschränkte sich anfangs ebenfalls auf Elfenbeinarbeiten (vgl. Bd. V, S. 97 ff., 147 ff.). Aus der reichen Elfenbeinproduktion in Byzanz (vgl. Bd. IV, S. 125) erreichten viele Objekte den Westen, der durch sie in ständigem Kontakt mit dem bildnerischen Schaffen des griechischen Ostens blieb.

Elefantenstoßzähne wurden aus Afrika und Asien auf dem Handelsweg nach Europa gebracht, aber wegen der hohen Kosten wurden oft auch Knochen, Walroßzahn und Walbein bearbeitet. Theophilus erwähnt in seinem Traktat (Kap. XCIII, De sculptura ossis = Über die Knochenschnitzerei) als weit verbreitete Technik die Verzierung von Knochen mit Goldfolie. Auch die Bemalung einzelner geschnitzter Details war allgemein üblich, obwohl nur an wenigen Beispielen Reste der ursprünglichen Polychromie erhalten sind. Elfenbeinschnitzerei wurde für die verschiedensten Objekte verwendet: Kruzifixe (Abb. 155), liturgische Kämme, Schachsteine und Kästen verschiedener Größe und Form als Reliquienbehälter oder zu profanem Gebrauch. Bischofs- und Abtsstäbe endeten in Elfenbeinkrümmen. Häufig wurden Elfenbeinreliefs in Werke aus anderem Material, meist Edelmetall, eingefügt, z. B. in Buchdeckel, Altarantependien und Schreine (Abb. 156). Viele der erhaltenen Reliefs befinden sich nicht mehr im Originalzusammenhang, ihre ehemalige Verwendung ist daher oft unbekannt (Abb. 158).

Die Elfenbeinschnitzerei war eine hochspezialisierte Kunst, doch wegen der großen Nachfrage wurde sie in zahlreichen Werkstätten gepflegt. In Deutschland erfolgte der Übergang vom ottonischen zum romanischen Stil allmählich während der zweiten Hälfte des 11. Jh. Die sog. „*Würzburger Gruppe*" von Elfenbeinreliefs aus der Zeit um 1090 ist trotz ihrer Verbindung zu ottonischen und byzantinischen Vorbildern schon völlig romanisch. Sie gewann vielleicht Einfluß auf die burgundische Steinplastik. Im 12. Jh. wurde *Köln* zu einem wichtigen Zentrum der Bearbeitung von Elfenbein, Walbein und Knochen (Abb. 157). Die romanischen Elfenbeine aus Italien zeigen häufig starke Abhängigkeit von byzantinischen Vorbildern. Das bei weitem bedeutendste Werk ist hier der *Paliotto von Salerno* aus dem späten 11. Jh., er ist von frühchristlicher Ikonographie beeinflußt, zeigt aber stilistische Verbindungen zu ottonischen Elfenbeinen.

Die *spanischen Elfenbeine* des 11. Jh. verbanden ottonische und heimische Traditionen zu

◁ 155 KRUZIFIX. Spätes 11. Jh. Aus der spanischen Abtei Carizzo. León, Museo Provincial. Höhe: 33 cm. Elfenbein, Augen Emaileinlage. Der Gekreuzigte wird als Triumphator, nicht als Toter dargestellt (vgl. dagegen Abb. 102). Ornamentale Behandlung von Haar und Bart. Wie bei älteren Kultbildern starre Haltung, maskenhaftes Gesicht. Symbol und nicht reales Abbild. (Vgl. die Steinplastik von Silos, Abb. 122.)

einem ganz eigenen Stil, den u. a. zwei Kruzifixe repräsentieren. Das eine wurde 1063 von Ferdinand I. für die Kirche S. Isidoro in León gestiftet (jetzt in Madrid), das andere, etwas spätere *Kruzifix* (Abb. 155) stammt aus der Abtei Carizzo. Elfenbeinarbeiten von so hoher handwerklicher Qualität müssen auch für die Wiedergeburt der Steinplastik Bedeutung gehabt haben. Das gleiche gilt für die Aposteltafeln von dem nur teilweise erhaltenen Reliquiar Johannes des Täufers und des hl. Pelagius, das um 1059 für die Kirche S. Pelayo (heute S. Isidoro) in León geschaffen wurde. Die ein wenig schweren Apostelfiguren stehen in kompaktem Relief vor neutralem Hintergrund. Trotz ottonischer Vorbilder ist doch die ornamentale Gewandanordnung und die Verbindung mit den Rahmenarkaden schon romanisch. Eine andere Gruppe von Elfenbeintafeln ist vom *Schrein des hl. Aemilian*, der zwischen 1053 und 1067 für die Abtei S. Millán de la Cogolla geschaffen wurde, erhalten (Abb. 156). Er trägt die Künstlersignatur: ENGELRAM MAGISTRO ET REDOLFO FILIO. Diese deutschen Namen beweisen die vermuteten Wanderungen von Künstlern, die erklären, wie sich Stilelemente über große Entfernungen hinweg fortpflanzen konnten. Die rätselhafte *Walbeinschnitzerei in London* (Abb. 158) wurde anscheinend von einem Künstler geschaffen, der eine umfassende Kenntnis von Stilelementen aus Spanien, Deutschland, Frankreich und England besaß.

Einige der frühromanischen *englischen Schnitzereien* aus Walroßzahn und Walbein gehören wegen des dekorativen Reichtums der Motive zu den kunstvollsten ihrer Art. Sie scheinen die Angaben des Theophilus über die Beinschnitzerei zu illustrieren: „Bilde ringsum sorgfältig kleine Blumen, Tiere, Vögel oder Drachen ab, die durch ihre Hälse und Schwänze miteinander verbunden sind." (Vgl. auch Abb. 158.) Aus der zweiten Hälfte des 12. Jh. sind einige hervorragende englische Arbeiten erhalten, zu denen das große Kreuz aus Walroßzahn gehört (jetzt in New York, Metropolitan Museum), als dessen Entstehungsort die Abtei Bury St. Edmunds vorgeschlagen wurde.

156 HL. AEMILIAN ZWISCHEN HL. ASELLUS, HL. GERONTIUS und HL. SOPHRONIUS. Elfenbeintafel vom Schrein des hl. Aemilian, S. Millán de la Cogolla. 1053–1067. Der 1809 weitgehend zerstörte Schrein wurde laut Inschrift von deutschen Künstlern geschaffen. Künstlerwanderungen erklären die stilistischen Beziehungen spanischer Arbeiten des 11. Jh. zur ottonischen Kunst. (Vgl. Abb. 137, 72.)

157 HIMMELFAHRT CHRISTI. Um 1130. London, Victoria and Albert Museum. Höhe: 21 cm. Schnitzerei aus Walroßzahn. Christus in Mandorla steigt zum Himmel auf, aus dessen Wolken die Hand Gottes und zwei Engel erscheinen. Zu beiden Seiten Maria und die Apostel. Unten Habakuk mit Schriftband. Palmettenrahmung. Beispiel der sog. „gestichelten Gruppe" aus Köln, in der die Gewandfalten durch Punktreihen angegeben werden. Weiche, gerundete Formen ähnlich der Maaskunst, doch stärker lineare Gewänder.

158 ANBETUNG DER KÖNIGE. Walbeinrelief von einem Schrein? Um 1130. London, Victoria and Albert Museum. Höhe: 36,5 cm. Virtuose Arbeit, größte Sorgfalt in jedem Detail. Als Sockelzone Fries kämpfender Tiere. Als Entstehungsland wurden England, Normandie, Nordostfrankreich oder Spanien vorgeschlagen. Die Eckigkeit der Falten, die Modellierung der Hände und Füße verwandt dem Bildnis Rudolfs von Schwaben (Abb. 104), daher ist deutsche Herkunft dieser Schnitzerei mit den gestreckten, dichten Linien nicht ausgeschlossen.

156 ▷

SCS ASELLVS
SCS EMILIANVS ET SCS

ABACVC

Die Verwendung *farbiger Glasmalerei* für den Kirchenschmuck ist sehr alt und geht im Westen mindestens bis auf die Karolingerzeit zurück. Aber die Fenster frühmittelalterlicher Bauwerke waren klein, und die farbigen Scheiben verminderten den Lichteinfall. Im Lauf der Zeit wurde das Format der Fenster vergrößert, bis sie in der Gotik praktisch die ganze Wand ersetzten. In der Romanik ergänzten Glasfenster und Wandmalerei einander zur farbigen Dekoration der Kirchen. Das Glas hatte gegenüber der Wandmalerei zwei Vorzüge: seine durchscheinenden Farben sind lebendiger und leuchtender als die reflektierten Farben der Wand, und sie sind dauerhafter, sie bleichen nicht und absorbieren nicht den Ruß der Kerzen. Die *Technik* der romanischen Glasmalerei hat *Theophilus* detailliert beschrieben. Farbige Glastafeln wurden entsprechend der auf einem Holzbrett vorbereiteten Zeichnung zugeschnitten. Die Teile, die zusätzliche Höhung erforderten, z.B. Gesichter, Gewänder, Hände und Füße, wurden mit Emailfarben bemalt, die beim Brennen mit dem Glas verschmolzen. Dann wurden die einzelnen Stücke durch Bleiruten verbunden. Diese Ruten haben wichtigen Anteil an der Komposition, da sie einzelnen Formen markante Konturen geben.

Die Entdeckung eines karolingischen Kopfes in Lorsch, der Teil einer großen Figur war, bestätigt urkundliche Nachrichten, daß figürliche Glasmalerei schon im 9. Jh. in Gebrauch war. Das früheste, erhaltene, romanische Glasbild ist leider nur ein Fragment, ein *Christuskopf* (?) aus der zweiten Hälfte des 11. Jh., der in Weißenburg im Elsaß gefunden wurde (Abb. 159). Ein smaragdfarbener Nimbus aus drei Stücken umgibt den Kopf, der aus einem einzigen Stück grünlichen Glases besteht. Die Züge sind mit breiten Strichen in Schwarz gemalt, drei verschieden weiße Schattenpartien dienen zur Modellierung. Diese Technik entspricht genau den Angaben des Theophilus (Buch II, Kap. XX). Doch trotz dieser Modellierung bleibt die allgemeine Erscheinung des Kopfes flach und linear. Die Gesichtszüge sind extrem ornamental. Die großen Augen und der feierliche Ausdruck lassen den Kopf übernatürlich erscheinen. Die um 1135 entstandenen *Augsburger Domfenster* (Abb. 161) gehören ebenfalls in diese frühromanische Tradition großer Gestalten in feierlich unbeweglicher, streng frontaler Haltung.

Das Land, das zur Zeit des Theophilus berühmt war für die „kostbare Vielfalt der Fenster", war *Frankreich*, und dort ist noch immer die größte Zahl von Glasbildern des 12. Jh. erhalten. Die Fenster, die unter Abt Suger um 1145 für St. Denis gemacht wurden, waren „von den Händen ausgezeichneter Meister aus verschiedenen Regionen gemalt" (Suger, De Administratione, XXXIV). Die Schule der Glasmalerei, die sich anschließend in der Ile-de-France entwickelte, war eine der bedeutendsten und einflußreichsten Europas, doch sie

◁ 159 Kopf (vermutlich Christus?). 2. Hälfte 11. Jh. Glasmalerei aus Weißenburg (Wissembourg) im Elsaß. Straßburg, Frauenhausmuseum. Höhe: 25 cm. Ornamentale Behandlung der Züge, besonders der Ohren und Nase. Eine gewisse Plastizität wird durch die Anwendung von drei verschiedenen Farbtönen im Gesicht erreicht.

gehört schon zur Gotik. Von Sugers Bau sind nur wenige Fenster in stark restauriertem Zustand erhalten, aber zahlreiche Originalfragmente, die nach 1789 verstreut wurden, bezeugen das hohe Können und den ikonographischen Erfindungsreichtum von Sugers Künstlern. Diese Fenster bestanden nicht mehr aus großen Frontalfiguren, sondern aus Reihen kleiner *Medaillons* mit vielfigurigen Szenen und reichen floralen Rahmen. Auch das berühmte, stark restaurierte Fenster mit der Wurzel Jesse war in sechs Felder geteilt, die jeweils eine von zwei kleineren Figuren flankierte Gestalt enthielten. Etwas später entstanden die hervorragenden Glasgemälde der Kathedrale von Châlons-sur-Marne, Arbeiten von Künstlern der Maasschule, deren Stil den Emailarbeiten, die Godefroid de Claire zugeschrieben werden, nahesteht.

Eine wichtige Schule der romanischen Glasmalerei bestand im zweiten und dritten Viertel des 12. Jh. in *Westfrankreich*; sie arbeitete u. a. für *Le Mans*, *Vendôme*, *Angers* und *Poitiers* (Abb. 162). Die überlängten, beweglichen Gestalten dieser Fenster sind stilistisch mit der Plastik und Malerei dieser Region verwandt. Auch hier führte der Bedarf an erzählenden Szenen zu kleineren Figuren als früher. Den dichtgefüllten Kompositionen fehlt die monumentale Klarheit der frühromanischen Glasbilder.

In der zweiten Hälfte des 12. Jh. bereitete der Einfluß der Übergangskunst der Ile-de-France bzw. der Maas-Niederrhein-Region dem romanischen Stil in der Glasmalerei ein Ende. Im Gegensatz zu dem abstrakten, visionären Kopf aus Weißenburg (Abb. 159) ist der *Kopf Davids* eines spätromanischen Glasfensters in *Soest* (Abb. 163) dreidimensional, mit Licht und Schatten konzipiert. Das Übernatürliche ist menschlich, real geworden. Diese neue Haltung bedeutet die Abkehr vom romanischen Stil und eine neue Vermenschlichung, die für die *Übergangsphase* charakteristisch ist.

160 BAU DER FLOTTE DES NORMANNENHERZOGS WILHELM. Detail des „Teppich von Bayeux". Um 1080. Bayeux, Museum. Höhe: 53 cm. Wollstickerei auf Leinwand. Erzählender Streifen von 69 m Länge mit Episoden vor und während der Eroberung Englands, 1066. Dekorative Bordüren mit Pflanzen, Tieren, Fabelwesen. Genreszenen usw. Vermutlich im Auftrag des Bischofs Odo von Bayeux für seine Kathedrale geschaffen. Der lebendige Figurenstil, verwandt der englischen Buchmalerei, spricht für englische Entstehung, vielleicht in Canterbury.

161 DANIEL, DAVID. Um 1135. Augsburg, Dom. Höhe: 2,30 m. Glasmalerei. Zwei von fünf erhaltenen Propheten mit Weissagungen auf ihren Spruchbändern. Wenig restauriert. Die Gestalten sind groß, frontal, hieratisch. Monumentaler Stil, typisch für frühromanische Glasmalerei.

162 KREUZIGUNG. Detail eines Glasgemäldes im Ostfenster der Kathedrale von Poitiers. Um 1160. Mittlere von drei Szenen; unten die Kreuzigung Petri, oben die Himmelfahrt, zu der die Figuren über den Kreuzbalken gehören. Beispiel der spätromanischen Glasmalerei, die kleinteilige, vielfigurige Kompositionen mit lebhaftem Ausdruck bevorzugt.

163 DAVID. Fragment eines Glasgemäldes. 1160 bis 1166. Soest, St. Patroklus. Höhe: 74 cm, Breite: 21 cm. David unter einem Kleeblattbaldachin hält ein Band mit der Inschrift DICITE I(N) NACIONI(BUS) DOMINUS REGN (AT) (Chronik I. 16, 31). Mittelfenster der Apsis mit Medaillonszenen von der Kreuzabnahme bis zur Himmelfahrt, von Propheten in Dreiviertelansicht flankiert. Die drei Apsisfenster bildeten mit den Wandmalereien ein einheitliches ikonographisches Programm.

160 ▷
161 ▷
162 ▷

IESVS

DA VID

Die Restauratoren des 19. Jh. haben zahlreiche Wände mittelalterlicher Kirchen freigelegt, um die Schönheit des Mauerwerks sichtbar werden zu lassen. Dabei wurden nicht nur viele alte Wandbilder zerstört, die zum Teil unter späterer Tünche verborgen lagen, sondern es wurde auch das ursprüngliche Aussehen der Innenräume verfälscht. Denn alle romanischen Kirchen, mit ganz wenigen Ausnahmen, wie z. B. in der Toskana, wo die Wände mit Marmor verkleidet wurden, waren verputzt und ausgemalt. Selbst die Bauplastik war farbig gefaßt. Die großen Wandflächen der romanischen Räume waren, wie die der frühchristlichen Basiliken, für eine ausgedehnte malerische Dekoration besonders geeignet.

Das *Mosaik* war der Wandmalerei in jeder Hinsicht überlegen. Es setzt sich aus kleinen, farbigen Glas- und Steinwürfeln (tesserae) zusammen, die, in den Verputz gedrückt, sehr dauerhaft sind. Zudem bricht ihre rauhe Oberfläche das Licht so mannigfach, daß selbst neutrale Hintergründe belebt erscheinen. Aber die kostspielige und komplizierte Mosaiktechnik wurde im Mittelalter nur selten angewandt. Es gab damals in Europa nur ganz wenige Meister, die diese Technik beherrschten, und außerhalb Italiens arbeitete wahrscheinlich überhaupt keiner von ihnen.

Aus der Chronik von *Monte Cassino*, die Leo von Ostia vor 1075 schrieb, erfahren wir, daß *Abt Desiderius*, als er die Erneuerung der Klosterkirche vornahm, in *Konstantinopel* Mosaizisten für die Ausstattung der Apsis mit Mosaiken anwarb. Auch mit der Ausschmückung der Hauptfassade und der Eingänge der Vorhalle wurden sie betraut, während andere Kunsthandwerker die Bodenbeläge anzufertigen hatten. Ferner erfahren wir, daß diese Techniken in Italien seit über fünfhundert Jahren nicht mehr angewandt worden waren. Desiderius veranlaßte daher, daß zahlreiche junge Mönche seines Klosters in diesen Künsten unterwiesen wurden, damit solche wertvollen Kenntnisse nicht wieder in Vergessenheit gerieten. Wenn auch vielleicht diese Angaben die wirkliche Situation nicht genau wiedergeben, so reflektieren sie doch den Kontrast zwischen dem Tiefstand dieser Kunst in Italien im 11. Jh. und ihrer glanzvollen Überlegenheit in Byzanz zur gleichen Zeit. Es bedeutete eine unmittelbare Nachahmung des kaiserlich-byzantinischen Patronats der Mosaikkunst, wenn die Dogen von *Venedig* und die normannischen Könige *Siziliens* ihre Kirchen mit umfangreichen Mosaikprogrammen ausstatten ließen (vgl. Bd. IV, S. 142 ff.). Die Päpste zogen lokale Mosaikwerkstätten heran, als zwei Kirchen in *Rom*, *S. Clemente* 1128 (Abb. 164) und *S. Maria in Trastevere* 1140 (Abb. 167), zu erneuern waren. Zur Zeit des politischen Triumphs des Papsttums über das Kaisertum griffen die Päpste auf diese „imperiale" Technik zurück, um ihrer neugewonnenen Autorität Glanz zu verleihen. In Rom herrschte bekanntlich kein Mangel an bedeutenden Vorbildern der Mosaikkunst, es seien nur S. Costanza und S. Maria Maggiore (vgl. Bd. IV, Abb. 24, 57 und 58) erwähnt, und es überrascht nicht, daß die romanischen Mosaiken deutlich die Anregung frühchristlicher Dekorationen verraten. Aber die reichliche Verwendung von Gold in diesen Mosaiken war ein bewußter Versuch, mit der gleichzeitigen byzantinischen Mosaikkunst zu wetteifern, und besonders der Figurenstil läßt deutlich einen starken Einfluß aus jener Quelle erkennen.

◁ 163

Am Ende des 12. Jh. und zu Beginn des 13. Jh. wurden venezianische Mosaikkünstler nach Rom berufen, um Mosaikdekorationen in St. Peter und S. Paolo fuori le mura auszuführen, aber davon blieb nichts erhalten. Mosaik wurde auch zum äußeren Schmuck von Gebäuden angewandt, wie erwähnt, in Monte Cassino und auch andernorts (Abb. 46). Ein eigenartiges Beispiel dieser Dekoration außerhalb Italiens, das aber zweifellos von einem italienischen Künstler ausgeführt wurde, gab es in St. Denis. Abt. Suger ließ nämlich das Tympanon des Nordportals seiner Abteikirche mit Mosaik schmücken.

Die *Techniken der Wandmalerei* waren sehr verschiedenartig, nicht immer handelte es sich um eigentliches Fresko. Sogar innerhalb eines einzigen Dekorationszusammenhangs wurden manchmal verschiedene Techniken angewandt, so z. B. wenn bestimmte Farben wie Lapislazuli, die nicht völlig löslich waren, al secco aufzutragen waren. Die abschließenden Striche wurden oft in Temperamalerei ausgeführt. Im Lauf der Jahrhunderte reagierten diese verschiedenen Techniken in verschiedener Weise auf die Einwirkung atmosphärischer Bedingungen. Daher können in ein und demselben Wandbild die einzelnen Farben recht unterschiedliche Abweichungen von den ursprünglichen Farbwerten aufweisen. Bei der Beurteilung mittelalterlicher Wandmalerei sind also häufig – abgesehen von späteren Übermalungen und Restaurierungen – der schlechte Erhaltungszustand und die Veränderungen der Farbpigmente zu bedenken.

Nur wenige vollständig ausgemalte Innenräume der romanischen Epoche blieben intakt erhalten, aber selbst die Reste erlauben einige generelle Schlüsse auf die ursprüngliche Verteilung der Malereien im Kirchenraum. Selbstverständlich war die Hauptapsis, das Zentrum der Kirche, der Ehrenplatz, der Christus vorbehalten blieb; für gewöhnlich wurde *Christus als Triumphierender* (Majestas Domini, Abb. 175) und nur ausnahmsweise als *Gekreuzigter* dargestellt (Abb. 164). Mit der zunehmenden Bedeutung der Marienverehrung für die Ikonographie des 12. Jh. wurde auch der *Gottesmutter* ein Platz in der Hauptapsis eingeräumt, wie in dem berühmten Mosaik von S. Maria in Trastevere in Rom (Abb. 167), wo sie zur Rechten Christi thront. Die Wandflächen über den Mittelschiffarkaden und die Gewölbe, soweit vorhanden, waren ganz besonders geeignet für eine große Anzahl von Darstellungen, die meist dem Alten und Neuen Testament entnommen wurden. Die Nebenapsiden blieben fast immer Maria und den Heiligen vorbehalten, vor allem jenen Heiligen, denen die Kirche geweiht war. Das Jüngste Gericht oder andere apokalyptische Szenen wurden meist an der inneren westlichen Eingangswand oder in der Vorhalle dargestellt. Es gab jedoch kein strenges System, dem alle gemalte Dekoration unterworfen gewesen wäre, und die Variationsmöglichkeiten waren gewiß weit größer als etwa in byzantinischen Kirchen. Da der romanische Kirchenbau ganz verschiedene Typen entwickelte (z. B. die Kuppelkirchen Westfrankreichs oder den deutschen Typus mit zwei Querhäusern), konnte sich auch kein einheitliches Dekorationssystem herausbilden. Zudem behielten die lokalen Traditionen immer einen gewissen Einfluß. Daraus resultiert, daß die Wandmalerei im romanischen Europa beträchtliche Unterschiede der ikonographischen Programme und auch des Stils aufweist.

Die Wirkung kultureller Traditionen und historischer Verbindungen wird in Italien besonders deutlich. *Venedig* z. B. und die Küstengebiete der Adria, wie auch *der normannische*

Süden, hatten enge Berührung mit der *byzantinischen Kunst*. Die nördlichen Provinzen entwickelten einen Stil, der byzantinische Elemente mit solchen der ottonischen Malerei verband. Mittelitalien mit dem Zentrum *Rom* war für fremde Anregungen weniger empfänglich, hier blieben die lokalen Traditionen fortwährend eine Quelle der Inspiration, wenngleich auch hier der byzantinische Einfluß spürbar wurde. Durch den völligen Verlust der Dekorationen der Abtei *Monte Cassino*, die Desiderius hatte ausführen lassen, ging ein überaus wichtiges Monument verloren, das aufgrund seiner Stellung als Gründungskloster des Benediktinerordens in ganz Europa einen großen Einfluß ausgeübt haben muß. Es wird oft behauptet, daß dieser Verlust wenigstens teilweise durch die Wandmalereien von *Sant' Angelo in Formis* bei Capua ausgeglichen werde. Diese Abtei war eine Tochtergründung von Monte Cassino, erbaut unter Desiderius (1058 gegründet, 1073 oder 1075 vollendet); es bleibt indessen der Mutmaßung überlassen, ob diese Wandmalereien die verlorene

164 CHRISTUS AM KREUZ. Rom, S. Clemente, Detail des Apsismosaiks. Um 1128. Vor einem mit Akanthusranken überzogenen Grund ist kleinfigurig der tote Christus am Kreuz dargestellt; zwölf Tauben – als Symbole der Apostel – sind innerhalb der Kreuzarme dekorativ angeordnet. Maria und Johannes stehen mit Trauergesten zu seiten. Unter dem Kreuz die Schlange sowie die vier Paradiesesflüsse und Hirsche, die daraus trinken. Gegenüberstellung von Erbsünde und Erlösung. Frühchristliche und byzantinische Elemente in Ikonographie und Stil.

165 ABT DESIDERIUS (gest. 1087) mit dem Modell seiner Kirche. S. Angelo in Formis. Detail der Apsismalerei. Um 1080. Die Kirche wurde von Desiderius, dem Abt von Monte Cassino, gegründet, um 1075 vollendet. Die Apsisfresken wurden wahrscheinlich als erste gemalt, sicher vor dem Tod des Abts, denn er ist mit quadratischem Nimbus dargestellt, was ihn als Lebenden charakterisiert. Zahlreiche byzantinische Elemente im gesamten Zyklus, die lineare Behandlung des Kopfes ist jedoch völlig romanisch.

166 ABENDMAHL. Sant' Angelo in Formis, Wandbild an nördlicher Mittelschiffswand. Spätes 11. Jh. Am besten erhaltener, vollständiger Zyklus romanischer Wandmalerei. Majestasdarstellung in der Hauptapsis, biblische Szenen an den Mittelschiffswänden, Jüngstes Gericht an der Eingangswand, weitere Wandgemälde in Seitenschiffen und Vorhalle. Einiges davon stammt erst aus dem 12. Jh. Zwei Hauptelemente bilden die Basis dieser Lokalschule: Romanisches und Byzantinisches. Die leuchtende Farbigkeit dieser Wandbilder wirkt, als sei Konkurrenz mit Mosaiken beabsichtigt.

167 TRIUMPH MARIÄ. Rom, S. Maria in Trastevere, Apsismosaik. Um 1140. Die Kirche wurde im Auftrag von Papst Innozenz II. wiedererrichtet und mit Mosaiken geschmückt. Der Papst mit dem Kirchenmodell ist unter den die Mittelgruppe flankierenden Gestalten dargestellt. In der Mitte Christus, der seinen Arm um die Schulter seiner Mutter legt. Darüber hält die Hand Gottes die Krone. Eine der frühesten Szenen des Marientriumphs, noch keine eigentliche Krönung. Zahlreiche Erinnerungen an frühchristliche Ikonographie, z. B. Lämmer als Apostelsymbole. Prunkvoller Stil, der dem Selbstbewußtsein des siegreichen Papsttums des 12. Jh. Ausdruck verleiht.

168 ADAM GIBT DEN TIEREN NAMEN. Wandmalerei in der Abtei S. Pietro bei Ferentillo. 2. Hälfte 12. Jh. Aus einer Folge biblischer Szenen im Mittelschiff, deutlich beeinflußt von gleichzeitiger Malerei in Rom (Wandmalerei, Mosaik und Riesenbibeln). Der nackte Adam steht in der Landschaft des Gartens Eden, die vier Paradiesesflüsse entspringen zu seinen Füßen. Versuch natura-

listischer Darstellung in der menschlichen Figur und bei einigen der Tiere; Flüsse und Pflanzen noch formelhaft.

169 ZWEI REITER IM KAMPF. Aquileia, Kathedrale, Wandmalerei in der Krypta. Um 1200. Unter den biblischen Szenen gemalte Nachahmung eines Wandbehangs mit Bäumen, Tieren und profanen Szenen in monochromer, roter Umrißzeichnung. Die Reiterszene stellt vermutlich einen christlichen Ritter dar, der einen Ungläubigen verfolgt. Ähnliche Wandbehänge wie der hier in Malerei wiedergegebene müssen häufig zum Wandschmuck der Kirchen verwendet worden sein. Der Teppich von Bayeux (Abb. 160) ist eines der wenigen erhaltenen frühen Beispiele dieser Gattung.

170 ERZENGEL MICHAEL UND SEINE ENGEL IM DRACHENKAMPF. Civate, S. Pietro al Monte, Detail der Wandmalerei. Um 1100. Umfangreicher Freskenzyklus in Narthex, Mittelschiff und Krypta erhalten. Starker byzantinischer Einfluß in Gesichtstypen, Gewandstil und Farbschema, die Ikonographie eine Mischung ottonischer und byzantinischer Elemente. Den Szenen liegt die Apokalypse zugrunde. St. Michael und der Drache illustrieren Offenbarung 12: „Ein Weib, bekleidet mit der Sonne, der Mond zu seinen Füßen ... und ... ein großer, roter Drache mit sieben Häuptern und zehn Hörnern ... stellte sich hin vor das Weib, ... um nach der Geburt ihr Kind zu verschlingen ... Michael und seine Engel kämpften gegen den Drachen." Die Darstellung folgt dem Bibeltext getreu und mit meisterhaftem, dekorativem Geschick.

171 MARIA. Detail des Apsisgemäldes von S. Clemente in Tahull. Um 1123. Jetzt Barcelona, Museo de Arte de Cataluña. Berühmtes Beispiel der katalanischen Malerei. Unterhalb der Majestas Domini sind Apostel und Maria unter Arkaden dargestellt. Der Kelch mit Lichtstrahlen, den Maria trägt, wird oft für den Heiligen Gral gehalten, er ist jedoch wahrscheinlich ein Christussymbol. Christus hält als Attribut ein Buch mit der Aufschrift „Ego sum lux mundi" (Ich bin das Licht der Welt). Der flache, lineare Stil und die reinen leuchtenden Farben entstammen mozarabischen Quellen, die Ausdrucksgewalt der übersteigerten geometrischen Formen ist dem Genius des Malers zuzuschreiben.

172 WANDGEMÄLDE IM PANTEÓN DE LOS REYES, LEÓN. Um 1160. León, S. Isidoro. Das Mausoleum der Könige von León, das im 11. Jh. erbaut wurde und besonders für seine frühen Kapitelle berühmt ist (Abb. 67), wurde unter Ferdinand II. (1157–1188) ausgemalt. Ein umfangreiches Programm ist in den sechs Jochen erhalten: neutestamentliche Szenen wechseln mit reichen Ornamentzonen ab, die die architektonische Struktur betonen. Das Hauptthema ist eine Majestas Domini mit den Evangelistensymbolen, die in Engelsgestalt mit den Köpfen ihrer Symboltiere wiedergegeben sind (z. B. der hl. Johannes hat einen Adlerkopf).

173 ERZENGEL MICHAEL UND SEINE ENGEL IM DRACHENKAMPF. Saint-Savin-sur-Gartempe, Detail des Wandgemäldes in der Vorhalle. Um 1100. Umfangreichster in Frankreich erhaltener Zyklus romanischer Wandmalerei. In der Vorhalle apokalyptische Szenen, in der Empore Passionsdarstellungen, im Mittelschiff (Abb. 13) biblische Szenen, in der Krypta Leben der hll. Savinus und Cyprian. Zahlreiche Künstler waren hier etwa zur gleichen Zeit tätig; unter den Farben fallen Gelb und Ocker besonders auf. Dynamischer Stil, der auf karolingische Buchmalerei zurückgeht. Michael und seine Engel sind beritten dargestellt, anders als bei derselben Szene in Civate. (Vgl. Abb. 170.)

174 SECHS APOSTEL. Detail des Antependiums von Urgel. Frühes 12. Jh. Jetzt Barcelona, Museo de Arte de Cataluña. Dreiteilig, im Zentrum Majestas Domini, links St. Peter und fünf Apostel, rechts (Abb.) St. Paul mit den restlichen Aposteln. Gemalte Altarantependien wurden anstelle von Goldschmiedearbeiten verwendet, der gemalte goldene Hintergrund erinnert an die kostbaren Vorbilder. Dekorativer Pyramidenaufbau der streng rhythmisierten Figurengruppe, verschiedene Farben für Heiligenscheine, vereinfachte Gewandzeichnung.

164 ▷

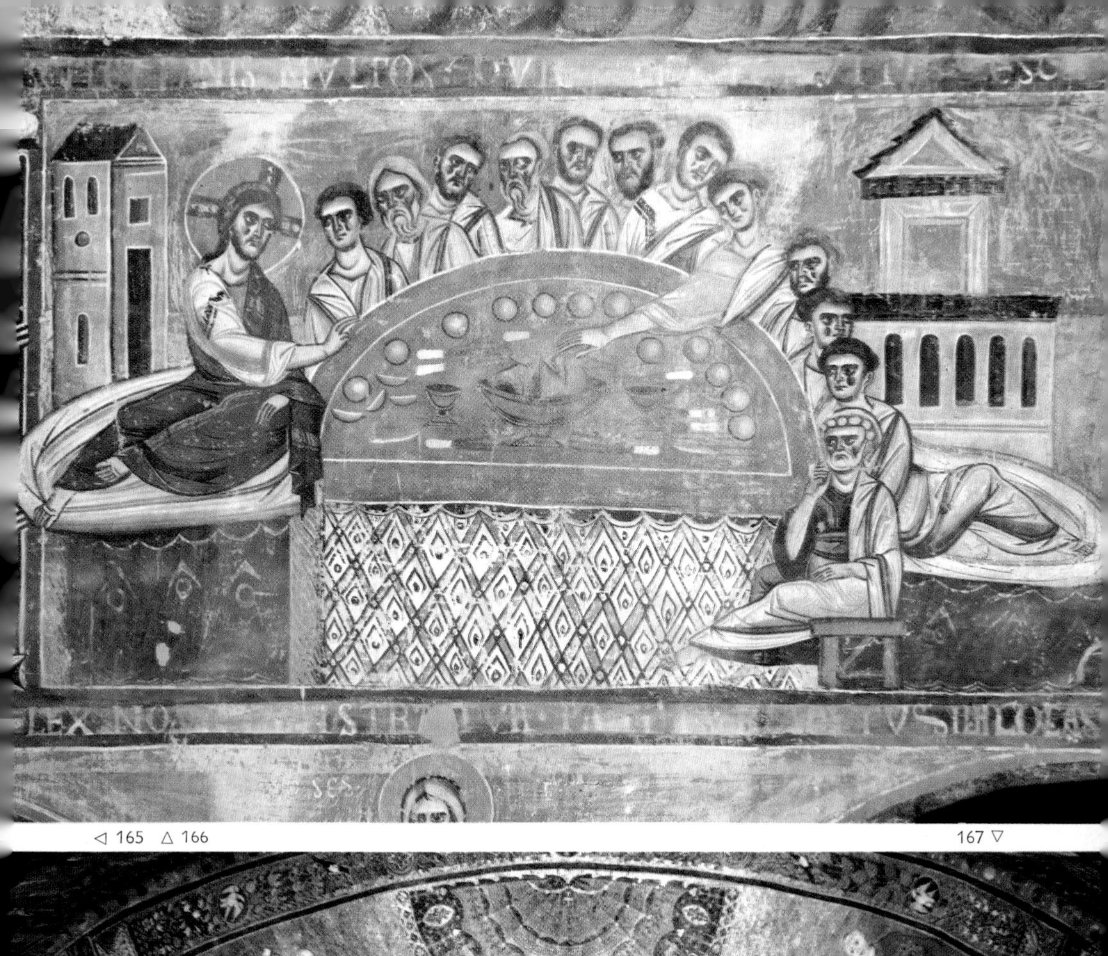

◁ 165 △ 166

167 ▽

△ 168 ▽ 169 170 ▷

AD DNM
RAPI
LVNI

◁ 171 △ 172 ▽ 173

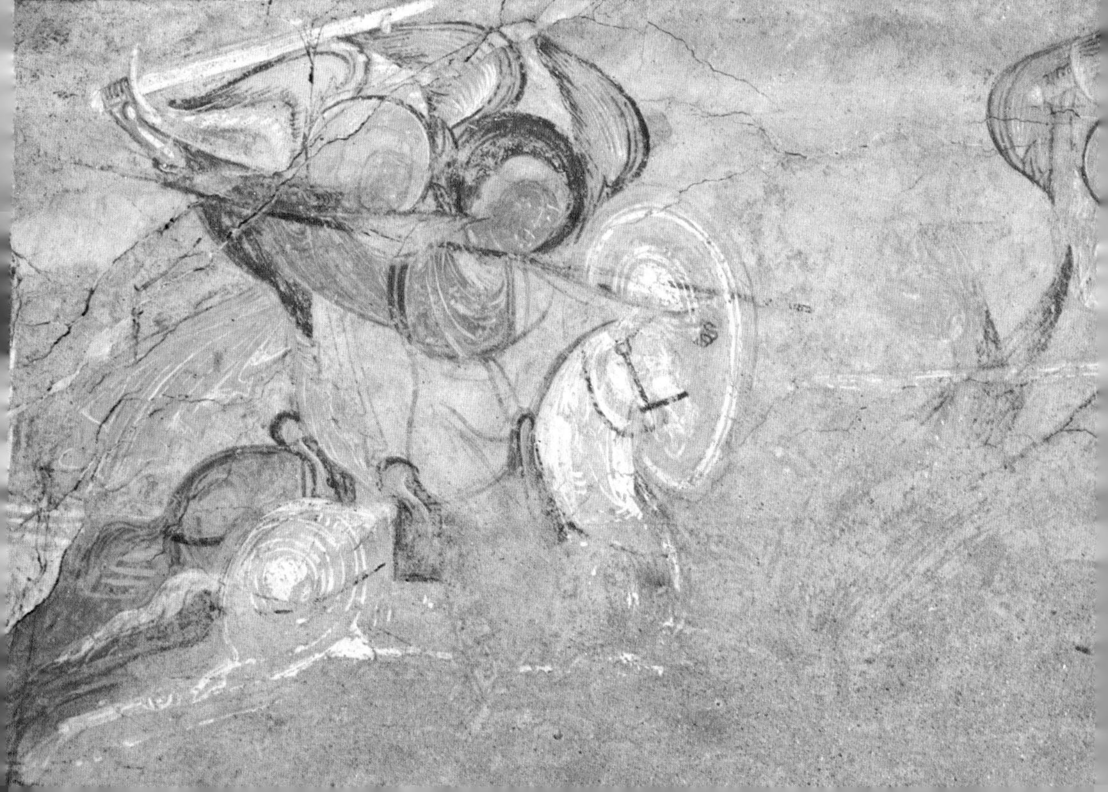

malerische Ausstattung von Monte Cassino reflektieren oder nicht. Einige Forscher nehmen an, daß die Wandmalerei der Apsiden und der Mittelschiffwände aus dem 11. Jh. stammen, die der westlichen Teile aber aus dem 12. und 13. Jh. Es ist jedoch wenig wahrscheinlich, daß die Arbeiten sich so lange hingezogen haben sollten. Stilistische Unterschiede sind zweifellos zwischen einzelnen Partien dieser Ausstattung festzustellen, aber sie lassen sich ohne Mühe durch die Tätigkeit verschiedener Maler erklären, die etwa zur gleichen Zeit arbeiteten. Auffällig an diesen Wandbildern ist jedenfalls ihre enge Verbindung zur byzantinischen Kunst und Ikonographie, ohne daß von einer sklavischen Imitation die Rede sein könnte. Die Maler waren offensichtlich keine Griechen, sondern Italiener, die nicht nur Kenntnis der byzantinischen Kunst besaßen – vielleicht von Monte Cassino –, sondern ebenso die Malereitradition Roms kannten. Die Gestalt des Stifterabts *Desiderius* mit dem Kirchenmodell (Abb. 165) ist in der Hauptapsis, zusammen mit Engeln unterhalb des thronenden Christus, dargestellt. Die prominente Stellung, die ihm zuteil wird, entspricht eher der römischen als der byzantinischen Tradition. Der quadratische Nimbus, der ihn als Lebenden kennzeichnet, ist ein wertvolles Indiz für die Datierung der Apsismalerei, da Desiderius 1087 starb. Für diese Darstellung stand dem Künstler kein byzantinisches Modell zur Verfügung, und so ist es sehr aufschlußreich, zu sehen, wie er den Kopf des Abts mit konventionellen, linearen Mitteln umreißt. Nur durch die buschigen Augenbrauen und den Schnurrbart unterscheidet sich sein Gesicht von den Gesichtern der Engel. Bemerkenswert ist jedoch, wie die Falten seines reichen Gewandes mit meisterlichem Illusionismus wiedergegeben sind; dies scheint auf weit frühere Quellen zurückzugehen, vielleicht auf spätantike, die in Rom noch zugänglich gewesen sein müssen. Das Kirchenmodell, das Desiderius hält, erweist sich als sehr ähnliche, wenn auch etwas vereinfachte Wiedergabe der noch heute bestehenden Kirchenfassade. Dies ist ein in der romanischen Zeit seltenes Beispiel, daß ein Künstler die realen Formen wiedergibt und nicht ein schematisches Bauwerk aus einem Musterbuch kopiert. Für die biblischen Szenen jedoch (*Abendmahl*, Abb. 166) griff der Künstler oder seine Mitarbeiter auf konventionelle, seit langem festgelegte Kompositionstypen zurück. Byzantinische Formeln werden dabei z. T. getreu übernommen, gelegentlich auch zu geometrischen Mustern vereinfacht, die für die romanische Kunst charakteristisch sind. Die Farben in Sant' Angelo sind kräftig, besonders treten die blauen Hintergründe hervor und Blau, Rot und Ocker für die Gewänder. Die Gesichter mit roten Wangenflecken wirken stereotyp, aber die Gestalten überzeugen durch ihre würdevollen und emphatischen Gesten.
Zu den frühesten romanischen *Wandmalereien in Rom* und seiner Umgebung gehören die berühmten Fresken der *Unterkirche von S. Clemente* und die von *Castel S. Elia*. Diesen folgten bald die *Mosaiken* in den *Hauptapsiden von S. Clemente* und *S. Maria in Trastevere* (Abb. 167). Die allgemeine Stilentwicklung der römischen Malerei während dieser Periode entfernte sich von der lebendigen und eleganten Erzählweise der frühen Zyklen und tendierte zu einem großformatigen, strengen und prächtigen Repräsentationsstil, besonders in dem Apsismosaik von S. Maria in Trastevere. Die majestätische Gestalt Christi beherrscht die Komposition durch ihre Größe und ihre zentrale Position. Der Arm Christi auf der Schulter seiner Mutter bringt eine ungewöhnliche Beseelung ins Bild, die unter den meist

feierlich-strengen romanischen Darstellungen eine Ausnahme bildet. Da Verse des Hohenliedes der Komposition hinzugefügt sind, wird deutlich, daß diese Darstellung eine zweifache Bedeutung hat: Hier sind nicht nur Christus und seine Mutter vergegenwärtigt, sondern auch Christus und seine Kirche, denn gemäß der christlichen Interpretation des Hohenliedes (allein der hl. Bernhard hat 60 Predigten zu diesem Thema hinterlassen) sind Salomon und seine Geliebte identisch mit Christus und der Kirche. *Papst Innozenz II.* (1130–1143), der das Mosaik in Auftrag gab, ist mit dem Kirchenmodell unter den Heiligen dargestellt, die den Thron flankieren. Die Zeitgenossen müssen dieses Mosaik als politisches Manifest des Papsttums verstanden haben, das seinen Herrschaftsanspruch gegenüber der weltlichen Gewalt vertritt: Christus und seine Kirche thronen gemeinsam in der Mitte, dem Thron zunächst steht Petrus als erstes Oberhaupt der Kirche, sein Nachfolger, der gegenwärtige Papst, steht kraft seines Auftrags ranggleich unter den Heiligen. Die zahlreichen Wandmalereien aus der spätromanischen Periode in Rom und seiner Nachbarschaft bis hin nach Umbrien (*S. Pietro bei Ferentillo*, Abb. 168) pflegten weiterhin monumentale Qualitäten, die Plastizität der Figuren und das Interesse an realistischen Details, die bereits in der früheren Zeit vorhanden waren. Dieser Stil blieb unberührt von den revolutionären Veränderungen, die zur Gotik führten und die in den transalpinen Regionen vor sich gingen. Obwohl er sporadisch Anregungen aus Byzanz aufnahm, blieb er während des 13. Jh. der romanischen Tradition treu.

Auch in den Gebieten, die traditionsgemäß dem byzantinischen Einfluß offenstanden, zeigten die spätromanischen Maler zeitweilig ein Interesse an realistischen Effekten, wie bei den Wandmalereien in der Krypta der Kathedrale von *Aquileia* (Abb. 169), die in der Sockelzone einen gestickten Wandbehang nachahmen. Dem Maler gelang es zu zeigen, wie der Stoff durch sein eigenes Gewicht zwischen den Ringen, an denen er befestigt ist, durchhängt. – Textile Wandbehänge müssen übrigens in der Ausstattung der romanischen Kirchen eine größere Rolle gespielt haben, als heute abzuschätzen ist, da fast alle zugrunde gingen. Nur der berühmte, normannische *Teppich von Bayeux* (Abb. 160), der um 1080 für die dortige Kathedrale vermutlich in England (Canterbury?) nach Miniaturvorlagen hergestellt wurde, ist erhalten geblieben als eindrucksvolles Zeugnis dieser gestickten Malerei und zugleich der einst viel reicheren Profankunst.

Die norditalienischen Provinzen waren der ottonischen Kunst gegenüber besonders aufgeschlossen, und man könnte wohl richtiger sagen, daß *Norditalien* eine jener Regionen war, die zur Entwicklung der ottonischen Kunst beträchtlich beitrug, das gilt besonders für die Malerei und die Elfenbeinschnitzerei. Die *Wandgemälde von Galliano* in der Lombardei aus der Zeit um 1007 gehören zu den wichtigsten noch erhaltenen ottonischen Erzeugnissen der Monumentalmalerei. Auch während der romanischen Epoche waren *ottonische Einflüsse* weiterhin wirksam, wie z. B. die *Apokalypsendarstellungen von S. Severo in Bardolino* bei Verona bezeugen. Bei den bedeutendsten romanischen Malereien der Lombardei jedoch, in *S. Pietro al Monte* oberhalb *Civate*, um 1100, herrschen byzantinische Einflüsse vor (Abb. 170). Dies wird deutlich am Gesichtstypus und an den Gewändern, wie auch in der Ikonographie. Das Datum der Malereien von Civate liegt nicht genau fest, aber dieses bedeutende Denkmal gehört offensichtlich zu jener großen Gruppe von Arbeiten des späten

11. und frühen 12. Jh. – Wandmalerei, Buchmalerei und Metallarbeiten –, auf deren Stil die *byzantinische Kunst* einen deutlichen Einfluß ausübte. Vielleicht ist dies dem erneuten Kontakt mit Konstantinopel während des ersten Kreuzzugs zuzuschreiben.

Spanien ist besonders reich an erhaltener Malerei des 12. Jh. (*Wandgemälde* und *gemalte Altarantependien*, Abb. 174); der Einfluß der *mozarabischen Buchmalerei* (vgl. Abb. 199) ließ Arbeiten entstehen, in denen eine flächige, geometrische Zeichenweise vorherrscht (Abb. 200). Mitunter gerät dabei – wie in dem berühmten *Zyklus von S. Clemente in Tahull* (Abb. 171) – die emphatische Übersteigerung in die Nähe der Karikatur, trotzdem wirkt hier der Ausdruck überzeugend. Durch die künstlerischen Kontakte mit Frankreich und Italien wurde die expressive spanische Wandmalerei allmählich gemäßigter (*Léon*, Abb. 172). Gegen Ende des 12. Jh. zeigt sie einen überwältigenden Einfluß von Byzanz, vermittelt auf dem Weg über England, z. B. in den Wandmalereien von Sigena, für die überzeugend ein englischer Künstler, vielleicht der Winchesterschule, angenommen wird.

Eine sehr aktive Schule der Wandmalerei bestand in *Westfrankreich*, sie ist am besten repräsentiert in dem großen Gemäldezyklus von *Saint-Savin-sur-Gartempe* (Abb. 173). Es handelt sich dabei um Arbeiten verschiedener Künstler von unterschiedlicher Begabung, und doch ist ihnen ein ziemlich einheitlicher Stil eigen, mit lebendiger, kraftvoller Bewegtheit und eleganten, schlanken Formen. Im Vergleich zu den etwa gleichzeitigen Wandmalereien der Cluniazenserkapelle von *Berzé-la-Ville* (Abb. 175) in der Nähe von Cluny, die vielleicht von demselben Meister ausgemalt wurde, der für die verlorenen Malereien in der Apsis von *Cluny III* verantwortlich war, erscheint Saint-Savin von byzantinischer Kunst ganz unberührt zu sein. Berzé-la-Ville hingegen ist ein hervorragendes Beispiel eines stark unter byzantinischem Einfluß stehenden, d. h. hieratischen und vergeistigten Stils. Der romanische Künstler kopierte aber seine Vorbilder nicht sklavisch. Die Gewandbildung der „nassen Falten“ – das heißt, das in der byzantinischen Kunst gepflegte, aus antikem Erbe übernommene Mittel, durch die lineare Struktur des Gewandes die Plastizität und die Bewegungen des Körpers auszudrücken, sie wie durch feuchten Stoff hindurch sichtbar werden zu lassen – wurde unter dem Pinsel des Malers von Berzé zu einem komplizierten System von Mustern, das auch die Bildhauer der Burgundischen Schule beeinflussen sollte (Autun, Abb. 85, Vézelay, Abb. 86). In gewisser Hinsicht verhielt dieser Maler sich ganz ähnlich, wenn auch unter geringerer Nutzung byzantinischer Vorbilder, wie sein Zeitgenosse in Niedersachsen, Roger von Helmarshausen, in der Metallbearbeitung (Abb. 143).

Der *byzantinische Einfluß* war zwar je nach Zeit und Ort sehr verschieden, aber fast überall spürbar, auch wenn er selten direkt erfolgte. Nördlich der Alpen wurden einige byzantinische Elemente durch ottonische Vermittlung in die romanische Malerei eingeführt (*Lambach*, Abb. 178). Berzé-la-Ville ist das besterhaltene Beispiel einer Welle byzantinischer Einflüsse, die von den romanischen Malern in überwiegend linearer Weise und mit lebhaften, reinen Farben interpretiert wurden. Die Darstellung des hl. Paulus in *Canterbury* (Abb. 179) war eine englische Version dieses Stils. Dann folgten Wandbilder, in denen byzantinische Vorbilder (aus Italien, vor allem Sizilien) wegen ihrer expressiven Qualitäten und plastischen Figurenbildung nachgeahmt wurden. Zu ihnen gehören die Zyklen in *Nonnberg bei Salzburg* (Abb. 177), *Montmorillon* (Abb. 176) und *Winchester* (Abb. 180).

Mit solchen Gemälden hatte der romanische Stil seinen Höhepunkt überschritten. Die übergangsreichen, plastischen Formen, die weniger von der Linie als von Licht und Schatten bestimmt sind und in denen die Abstraktion durch Naturalismus ersetzt wird, sind nicht mehr eigentlich romanisch. Als die Gotik im 13. Jh. den Stil der Malerei durchdrang, trat sie nicht unmittelbar an die Stelle des romanischen Stils, sondern sie löste jenen *byzantinisch beeinflußten Übergangsstil* ab, der die zweite Hälfte des 12. Jh. beherrscht hatte.

175 Thronender Christus, von Aposteln umgeben. Frühes 12. Jh. Berzé-la-Ville, Detail der Wandmalerei in der Apsis. Abt Hugo von Cluny begünstigte dieses Priorat. Die Fresken wurden vielleicht von einem Maler aus Cluny vor Hugos Tod, 1109, ausgeführt. Italo-byzantinische Elemente; leuchtende Farben auf dunkelblauem Grund mit Weißhöhung. Die majestätische, überwirkliche Christusgestalt gewann großen Einfluß auf die burgundische Plastik (vgl. Abb. 85, 86).

176 Die Ältesten der Apokalypse. Montmorillon, Notre-Dame, Detail der Wandmalerei in der Krypta. Um 1200. Die letzte Phase des romanischen Stils vor dem Eindringen der Gotik stand überall unter dem starken Einfluß der byzantinischen Kunst. Bei diesen Köpfen sind die Formen fließend und ausdrucksvoll übersteigert. Diese Endstufe wird manchmal als „romanischer Barock" bezeichnet.

177 St. Florian. Nonnberg bei Salzburg, Stiftskirche, Detail der Wandmalerei im Nonnenchor. Um 1150. Höhe: 1,38 m. Halbfigur aus einer Reihe von Heiligen in Nischen, deutlich von byzantinischer Kunst, via Italien, beeinflußt. Die Modellierung der Figuren ist durch wenige Pinselstriche und gleitende Konturen erreicht.

178 Christus predigt in der Synagoge von Nazareth. Lambach, Abteikirche, Detail der Wandmalerei im Westchor. Ende 11. Jh. Weihe der Kirche 1089. Ausgedehnte Reste der ursprünglichen Fresken erhalten, darunter die seltene Darstellung Christi unter den Juden (Lukas 4, 16–30). Die stilistischen Quellen sind ottonisch und lombardisch mit einigen von beiden vermittelten byzantinischen Elementen.

179 Der hl. Paulus wirft eine Schlange ins Feuer. Canterbury, Wandmalerei in der St. Anselmskapelle der Kathedrale. Um 1140. Nur diese eine guterhaltene Szene blieb von einem ehemals wohl umfänglichen Zyklus übrig. Die Kapelle war zur Zeit der Chorweihe 1130 fertiggestellt, das Wandbild ist etwas später, stilistisch nah verwandt mit der Burybibel (Abb. 196). Die byzantinischen „nassen Falten" werden zur Modellierung und als dekoratives Element eingesetzt. Vergleiche die frühe Verwendung dieses Faltenstils bei Roger (Abb. 143).

180 Kreuzabnahme und Grablegung. Winchester, Kathedrale, Wandmalerei an der Ostwand der Heiliggrabkapelle. Um 1180. Neuerdings freigelegt nach sorgfältiger Abnahme von Wandmalerei des 13. Jh. desselben Themas. Übergangsstil unter starkem Einfluß der byzantinischen Kunst Siziliens. Der Maler dieser Fresken muß die Buchmalerei der Winchesterbibel gekannt oder an ihr gearbeitet haben. Eines der bedeutendsten Werke des Übergangsstils.

175 ▷

△ 176 ▽ 177 ▽ 178 179 ▷

BUCHMALEREI

Kein Gottesdienst konnte gehalten werden ohne liturgische Bücher, wie Missale (Meßbuch), Antiphonar (Wechselgesänge), Lektionar (Bibellesungen), Graduale (Meßgesänge), Tropar (Kirchenlieder), ganz abgesehen von der Bibel oder einzelnen ihrer Teile, wie Psalter, Evangeliar und Epistel (Apostelbriefe). In klösterlichen Gemeinschaften waren zudem zahlreiche Glossare (Worterläuterungen) und Kommentare zur Bibel gebräuchlich, die Schriften der Kirchenväter, Heiligenviten sowie Abhandlungen über Philosophie, Literatur, Grammatik und Naturwissenschaften. Nicht alle diese Bücher waren mit Malereien geschmückt, aber man legte größten Wert darauf, sie kostbar erscheinen zu lassen, und sei es nur durch Ausschmückung der Initialen der Anfangskapitel. Dies war nicht erst eine Erfindung der romanischen Buchmalerei, denn schon merowingische Bücher wurden so dekoriert. Aber die *romanischen Initialen* sind oft figürlich und szenisch gebildet (Abb. 183), vergleichbar den Kapitellen, an denen ebenfalls seit dem 11. Jh. erzählende Szenen erscheinen. Ähnlich wie die Kapitelle zeigen auch die Initialen eine Fülle seltsamer, monströser Wesen, die einander bekämpfen, verfolgen und verschlingen. Diese Initialen haben keine Verbindung zu dem Text, den sie einleiten, sie dienen lediglich der Unterhaltung des Lesers.

Im 11. und 12. Jh. war das Kopieren und Ausmalen von Büchern eine wichtige Aufgabe der Mönche, und wir kennen sogar die Namen vieler mönchischer Schreiber und Maler. Daneben gab es *weltliche Buchmaler*, die mitunter auch andere kunsthandwerkliche Techniken beherrschten (vgl. die Anmerkung zu Abb. 196). Viele von ihnen wanderten, auf der Suche nach Aufträgen, von Ort zu Ort und sogar von Land zu Land. Dennoch entstand auch während der romanischen Epoche der größte Teil der Buchmalerei in den *Skriptorien der Klöster*. In einigen Fällen läßt sich die Stilentwicklung bestimmter Skriptorien anhand der überlieferten Handschriften genau verfolgen. Der für ein oder mehrere Skriptorien charakteristische Stil erlaubt manchmal, von einer *Schule* zu sprechen; das gilt für wichtige Zentren der romanischen Buchmalerei, wie Canterbury, St. Omer, Salzburg, Köln, Rom, Citeaux und andere. An manchen Orten hingegen, wie z. B. Cluny, ist die Existenz einer blühenden Miniaturistenschule zwar zu vermuten, aber wegen des fast völligen Verlustes der Bibliothek nicht mehr sicher nachzuweisen. Ohne Zweifel entstand während der romanischen Epoche Buchmalerei in sehr großer Zahl, und trotz aller Zerstörungen durch Feuer, Plünderungen, Unachtsamkeit, Säkularisierung von Klosterbibliotheken und Vernichtung ihrer Bestände ist doch eine überwältigende Fülle romanischer Handschriften überliefert, die zum großen Teil noch der wissenschaftlichen Bearbeitung harren. Die bedeutendsten Handschriften sind jedoch bekannt, so daß bestimmte allgemeine Schlüsse über ihren Stil zulässig sind.

Die romanische Buchmalerei ging schrittweise aus den älteren Stilen hervor. Manchmal ist es auf rein stilkritischer Basis schwierig zu sagen, ob eine Handschrift noch als ottonisch, anglo-sächsisch, mozarabisch zu bezeichnen, also präromanisch ist, oder ob sie bereits als romanisch gelten kann.

◁ 180

181 MAJESTAS DOMINI, umgeben von den Evangelistensymbolen und vier Prophetenhalbfiguren. Evangeliar von St. Maria ad Gradus, Köln. Um 1030. Köln, Erzbischöfliche Diözesanbibliothek (bzw. Priesterseminar), Cod. 1a, Fol. 1 v. 21,2×14,4 cm. Beispiel spätottonischer Buchmalerei (vgl. auch Bd. V, Abb. 122); die flache, lineare Behandlung des Christusgewandes kündigt den frühromanischen Stil an. Die Prophetenköpfe zeigen noch Spuren des Illusionismus, der die frühere ottonische Malerei beherrschte. (Vgl. Bd. V, Abb. 115.)

182 WURZEL JESSE. Vysehrad-Evangeliar. 1080 bis 1085. Prag, National- und Universitätsbibliothek, MS. XXIV A. 13. Fol. 4 v. 34×41,5 cm. Früheste bekannte Darstellung der Wurzel Jesse, eines in der romanischen Kunst sehr beliebten Themas (vgl. Abb. 190). Zugrunde liegt die Prophezeiung Isaias, Kap. 11,1: „Et egredietur virga de radice Jesse“ (Und es wird ein Reis aus der Wurzel Jesse hervorgehen), daraus entwickelte sich der Stammbaum Christi aus dem königlichen Hause Jesse, David und Salomon. – Die böhmische Miniaturmalerei steht in stilistischer Verbindung zur Regensburger Schule und enthält noch ottonische Züge (vgl. Abb. 181). Im unteren Bild sind Isaias und Jesse mit dem Stammbaum gegenübergestellt. Die sieben Tauben in den Zweigen symbolisieren die Gaben des Heiligen Geistes.

183 ST. ILDEFONS IM GEBET. Ildefonsus, De Virginitate Sanctae Mariae. Spätes 11. Jh. Parma, Bibliotheca Palatina, MS. 1650, Fol. 5 r. In den Ranken einer Initiale kniet der Heilige, über ihm erscheint die Halbfigur Christi. Das Werk wurde in Cluny illuminiert, vielleicht von einem Deutschen, der die Tradition der ottonischen Kunst kannte (Purpurseite, Goldbuchstaben). Zwei Miniaturen eines anderen Malers am Ende des Buches sind stilistisch mit den Wandgemälden von Berzé-la-Ville verwandt. (Vgl. Abb. 175.)

184 MAJESTAS DOMINI mit Evangelistensymbolen in Eckmedaillons. Bibel von Stavelot. 1097. London, British Museum, MS. Add. 28107, Fol. 136 r. 44×27 cm. Maasländische Arbeit von Goderannus und seiner Werkstatt, die frühzeitig gerundete, weiche Gewandformen verwendet. Die Plastizität des Körpers ist überzeugend wiedergegeben. Eines der frühesten Werke der Maaskunst, in der diese byzantinisch beeinflußten Elemente hervortreten. Sie wurden im Lütticher Taufbecken weiterentwickelt. (Vgl. Abb. 105.)

185 ABENDMAHL UND VERKLÄRUNG CHRISTI. Bibel von Floreffe. Um 1155. London, British Museum, MS. Add. 17738, Fol. 4 r. Vollentwickelter maasländischer Stil mit kompakten Gestalten, deren Dreidimensionalität mit linearen Mitteln erreicht ist. Gleiche Stilstufe wie die Godefroid de Claire zugeschriebenen Emails und viele Metallarbeiten (Abb. 141) und Elfenbeine.

186 LILIE. Liber Floridus. Um 1120. Gent, Universitätsbibliothek, MS. 92, Fol. 230 v. 30×20,5 cm. Geschrieben und gemalt von Lambert, Kanonikus von St. Omer. Das allegorische Blumenbuch enthält Darstellungen von Pflanzen, die richtig erfaßt sind, doch ohne Berücksichtigung von Details.

187 PFINGSTEN. Antiphonar. Aus der St. Peterskirche in Salzburg. Spätes 12. Jh. Salzburg, Stiftsbibliothek, Cod. a XII, Fol. 7. 43×31,5 cm. Handschrift der Salzburger Schule. Gesichtstypus und Gewänder deutlich von italo-byzantinischen Vorbildern beeinflußt. Apostel mit St. Peter im Zentrum, über ihnen die Taube des Heiligen Geistes mit Fackeln, die auf die Apostel ausstrahlen (Und es erschienen über ihnen feurige Zungen ..., Apostelgeschichte II, 3). Die Rahmenarkade deutet an, daß das Ereignis sich im Innenraum abspielt.

188 SOMMERLANDSCHAFT. Carmina Burana. Frühes 13. Jh. München, Staatsbibliothek. Clm. 4660, Fol. 64 v. 18×12 cm. Diese berühmte Gedichtsammlung, die vermutlich in der oberbayerischen Abtei Benediktbeuren geschrieben und gemalt wurde, enthält eine der frühesten Landschaftsdarstellungen. Wie die Landschaft in den Wandgemälden von Ferentillo (Abb. 168), basiert auch diese reizvolle Miniatur nicht auf Naturstudium, sondern sie ist aus konventionellen Pflanzen- und Tierformen komponiert, die flach und ornamental behandelt sind.

181 ▷

DANIEL·
MATHEVS
IOHANNES
MARCUS
LVCAS

ISAIAS·

CLAVSA REX PORTA PENETRAT· QVE RESPICIT ORTVM·
VIRGVLA DE IESSE PCE DIT SPLENDIDA FLORE·
EGREDIETVR VIRGA DE RADICE IESSE· ET FLOS DE RADICE EIVS ASCENDET· ET REQVIESCET SUP EV SPS DNI

INNOMINE DNI INCIPIT
OPUSCULUM PRECATIO
NIS INQUA EXPRIMIT
HUMILIS DEVOTIO
ATQ PIA CONFESSIO
SEQUIT.

ES
LUMEN VERU

hic est filius meus dilectus
in quo michi complacui
HEC DIVINORUM DOCET ABOLITA MYSTERIORUM

Sic lyliu
int spinas
Sic amica mea
inter filias
Morinor epi
Audmundus
Athalbertus
s Audomarus
Draucius
s Bainus
Rauangerus
psul an dccc xx
s Erkenbodo
Adalgerus
Gumbertus
Etharius
Rodwaldus
Athalolfus
Wicfridus
Teduuinus
psul an dccc xvii
s Folquinus
Grimbaldus
psul dccc lv
s Hunfridus
psul dccc lxviii
Actardus
psul dccc lxxi
Athalbertus
dccc lxxxiii
Herlandus
Stephanus
dcccc xxxv
Wicfridus
dcccc lviii
David
dcccc lxxiii
Emmericus
dcccc lxxxviii
Balduinus
m xxx fit eps
Drogo
m lxx viii fit eps
Hubertus
m lxxx i fit eps
Gerardus
an m xcvi fit eps
Johannes
Scs sps
Septe dona ei
Karitas
Simplicitas
Mansuetudo
Patiencia
Innocetia
abstinecia
Copudtio
Cedrus
Cypressus
Palma
Platan'
Oliua
Rosa
Vitis
Terebint'
Laur'
Pinus
Abies
Buxus
Phylosophia
Septe artes
Gramatica
dialectica
Rethorica
Geometria
Arithmetica
Astrologia
Musica
Thus
Myrra
Storax
Amomu
Aloen
Calam'
Balsamu
Nard'
Crocu
Acant'
Cosbi
Lylium

Die ottonische Buchmalerei war in ihrer Frühphase, im 10. Jh., häufig noch durch die karolingische Kunst geprägt und sogar durch weit ältere, antike Vorbilder. Die hochbegabten ottonischen Künstler besaßen ein außerordentliches Verständnis für spätantike Formen, Gewandbildung und Raumillusion. Sie pflegten zudem Kontakte zur zeitgenössischen byzantinischen Kunst und übernahmen manche ihrer Stilelemente. Späterhin aber entwickelte sich die ottonische Malerei vom Illusionismus fort zu abstrakteren Formen (Abb. 181), die unmittelbar zum frühromanischen Stil führten. Seit der Mitte des 11. Jh. ist die *deutsche Buchmalerei* entschieden romanisch. Zu jener Zeit muß auch ihre Ausstrahlung sehr bedeutend gewesen sein. Eines der wenigen Manuskripte, die von der großen Bibliothek von *Cluny* übriggeblieben sind, ein Lektionar aus dem späten 11. Jh., enthält rheinische Initialen und Miniaturen von byzantinisierendem Charakter, die an Vorbilder denken lassen, wie sie auch den Stil des Roger von Helmarshausen geprägt haben (vgl. Abb. 143). Ein ähnlicher, byzantinisch beeinflußter Stil läßt sich in den cluniazensischen Wandgemälden von Berzé-la-Ville (Abb. 175) feststellen. Ein anderes Cluniazensermanuskript, *Ildefonsus*' „De Virginitate" aus der Zeit um 1100 (Abb. 183), muß von einem deutschen Künstler, vielleicht aus Regensburg, gemalt worden sein. Die *böhmische Malerschule*, die in *Prag* im letzten Viertel des 11. Jh. tätig war, war ebenfalls von *Regensburg* inspiriert. Die reich illuminierten Bücher dieser böhmischen Schule fallen nicht nur durch ihren kraftvollen, etwas schweren Stil auf, sondern auch durch ihre höchst originelle Ikonographie (z. B. älteste bekannte Wurzel-Jesse-Darstellung, Abb. 182).

Im allgemeinen wird das Eindringen der romanischen Kunst in *England* mit der Eroberung Englands durch die Normannen, 1066, in Verbindung gebracht. Dies trifft aber nicht ganz zu, da es schon um die Mitte des 11. Jh. englische Maler gab, die zum romanischen Stil tendierten, ohne Hilfe aus der Normandie. Sicherlich beschleunigte aber die normannische Eroberung diesen Prozeß. Die Buchseite mit *Christus am Kreuz* (Abb. 189), die durch einen normannischen Maler um 1070 einem englischen Psalter hinzugefügt wurde, ist durchaus romanisch mit ihren festen Umrißlinien, ihrer klaren Gewichtsverteilung und ornamentalen Symmetrie. Das rahmende Blattwerk geht auf die Akanthusranken der sog. *Winchesterschule* aus der Zeit vor der Eroberung zurück. Aber dort handelte es sich um unruhiges, wildwucherndes Blattwerk, das keine Rücksicht auf die Rahmenleisten nahm, während es hier fest unter Kontrolle steht. Die Gestalt des Gekreuzigten in ihrer pathetischen Todeshaltung, das Lendentuch in kunstvoll gewinkelte Falten gelegt, ist keine Illustration des biblischen Ereignisses, sondern ein zeitloses Kultbild, ein Symbol der Erlösung durch den Tod Christi. Die formale Ähnlichkeit dieser bewegenden Darstellung mit dem fast gleichzeitigen *Bronzekreuz von Werden* (Abb. 102) läßt an eine gemeinsame Quelle denken, nämlich an die spätottonisch-frühromanische *Kölner Buchmalerei.*

Die Vorbildlichkeit der *ottonischen Malerei* ist auch im *Sakramentar von St. Etienne in Limoges*, um 1100, festzustellen (Abb. 191), einer Handschrift, die Einfluß auf die Entstehung einer bedeutenden Malerei-, Glasmalerei- und Emailschule in jener Gegend im 12. Jh. ausübte.

Es wurde bereits darauf hingewiesen, daß deutsche Künstler im 11. Jh. in *Spanien* arbeiteten ◁ 188 und daß die ottonische Kunst eine bedeutende Rolle in der Entwicklung der spanischen

189 CHRISTUS AM KREUZ, in den Ecken des Ornamentrahmens Evangelistenmedaillons. Psalter. Um 1070. London, British Museum, MS. Arundel 60, Fol. 52 v. 30,5 × 19 cm. Diese vielleicht von einem Normannen gemalte Miniatur wurde einem englischen Psalter aus Winchester aus der Zeit um 1060 hinzugefügt. Stilstufe verwandt dem Werdener Kruzifix (Abb. 102). Der Ausdruck des toten Körpers wird durch Reduktion der Formen auf harte, eckige, geometrische Umrisse erreicht. Dekorative Wirkung der beiden symmetrischen Bäume und der reichen Rahmung. Romanische Version des Akanthusrahmens, der in anglo-sächsischen Büchern der sog. Winchesterschule vorkommt. (Vgl. Bd. V, S. 187.)

190 MADONNA UND KIND. Hieronymus, Explanatio in Isaiam. Abtei Citeaux. Um 1130. Dijon, Bibliothèque Municipale, MS. 129, Fol. 4 v. 38 × 12 cm. Dargestellt ist eine vereinfachte Wurzel Jesse (vgl. dagegen Abb. 182): über dem liegenden Jesse steht sehr groß Maria, auf ihrem Nimbus die Geistestaube, daneben zwei Engel mit Attributen. Die monumentale Gestalt, der Stil der Draperie und der ikonographische Typus der zärtlichen Mutter, die ihr Kind liebkost, sind byzantinisch inspiriert.

191 HIMMELFAHRT CHRISTI. Sakramentar von St. Etienne, Limoges. Frühes 12. Jh. Paris, Bibliothèque Nationale, MS. Lat. 9438, Fol. 84 v. Kraftvolle schwarze Umrißzeichnung, schwere Farben, viel Gold. Dramatische Gesten. Dekorative „clavi" – goldene Rechtecke – auf den Gewändern. Ottonischer Einfluß auf Ikonographie und Stil. Die spätere Entwicklung dieses Stils läßt sich in der Glasmalerei (Abb. 162) und im Email von Limoges feststellen.

192 GREGOR DER GROSSE. Briefe des hl. Gregor. Aus der Abtei St. Martin in Tournai. Um 1150. Paris, Bibliothèque Nationale, MS. Lat. 2288, Fol. 1 r. 36 × 25 cm. Papst Gregor, thronend mit Krummstab und Buch, inspiriert von der Taube des Hl. Geistes. Am Rahmen sechs Medaillons mit Büsten seiner Korrespondenten. Reiches Frontispiz mit schweren Farben, einschließlich Gold.

193 DAS ENTZÜNDEN DER OSTERKERZE. Exultetrolle. Um 1060. Rom, Bibliotheca Vaticana, Vat. Lat. 3784. Breite: 28 cm. Geschrieben und gemalt in Monte Cassino zur Frühzeit des Abts Desiderius (1058–1087). Wie bei vielen Exultetrollen zeigt eine Szene die Weihe und das Entzünden der Osterkerze am Karsamstag. Die Initialen dieser Rolle sind für Monte Cassino charakteristisch, sie bestehen aus Flechtbändern mit Tieren. Pastelltöne mit etwas Gold, Farbpigment verloren.

194 DER VIERTE UND FÜNFTE SCHÖPFUNGSTAG. Sog. Perugiabibel. Um 1150. Perugia, Bibliotheca Augusta, MS. L. 59, Fol. 2 r. Eine der Riesenbibeln der umbro-romanischen Schule. Die beiden Bildfelder sind durch geometrische Flechtbänder gerahmt. Oben thront Gott auf dem Globus bei der Erschaffung von Sonne, Mond und Sternen. Unten die gleiche jugendliche, bartlose Gestalt bei der Erschaffung der Fische und Vögel. Grüne Untermalung und Schattengebung. Weiche Modellierung, abstrakte Falten.

195 DIE HEILIGEN DREI KÖNIGE. Psalter von St. Albans. 1120–1130. Hildesheim, Bibliothek St. Godehard. S. 27. 28 × 18 cm. Biblischer Bildzyklus am Beginn des Psalters nach anglo-sächsischer Tradition. Dieser Psalter ist stilistisch mehreren Manuskripten verwandt, die in St. Albans und Bury St. Edmunds illuminiert wurden. Die Quellen sind ottonisch und italo-byzantinisch. Die schlanken Formen sind durch lineare Falten und weiße Lichter modelliert. Neutraler Hintergrund farbiger Felder mit schematischen Bäumen als Landschaftsandeutung.

196 MOSES ERLÄUTERT DAS VERBOT DER UNREINEN TIERE. Sog. Burybibel. Aus der Abtei Bury St. Edmunds. 1130–1140. Cambridge, Corpus Christi College, MS. 2, Fol. 94 r. (untere Hälfte). Etwa 26 × 35 cm. Gemalt von Magister Hugo, einem weltlichen Künstler, der auch Bronzetüren und Glocken sowie hölzerne Figuren für Bury St. Edmunds schuf. Reine, leuchtende Farben. Starker italo-byzantinischer Einfluß, der für die englische Malerei große Bedeutung gewann. (Vgl. Abb. 179, 180.)

189 ▷

GREGORIVS PAPA

moyses

Metall- und Elfenbeinarbeiten spielte. In der Buchmalerei bildete die *mozarabische Kunst* – vertreten vor allem in den Illustrationen des Apokalypsenkommentars des Beatus von Liébana (vgl. Bd. V, S. 173), die im Lauf des 10. und 11. Jh. und später häufig kopiert wurden (Abb. 199) – die Grundlage, zu der außerspanische Stilelemente hinzutraten. Das bedeutende Liber Testamentorum Regium von Oviedo, das noch 1126–1129 mozarabisch geschrieben wurde, enthält sieben Darstellungen spanischer Könige, in denen die lebhaften, fast brutalen Farben der mozarabischen Malerei etwas gemildert sind und der Figurenstil, obwohl er an mozarabische Kunst erinnert, mit frühromanischer Buchmalerei aus Köln (z. B. Abdinghofevangelistar, um 1070–1080) verwandt erscheint. Auch in der *italienischen Buchmalerei* zeigt sich die Nachwirkung der ottonischen Kunst. So konnte z. B. nachgewiesen werden, daß Initialen italienischer Handschriften, und zwar nicht nur solcher aus Norditalien, sondern auch aus Mittelitalien und selbst aus Monte Cassino, in den großen ottonischen Zentren der Buchmalerei ihre Vorbilder hatten.

So wichtig die ottonische Kunst für die Entstehung der romanischen Malerei war, bildete sie doch nicht ihre einzige Quelle. Die kraftvolle *anglo-normannische Buchmalerei*, die im späten 11. und frühen 12. Jh. blühte und hauptsächlich Initialen hervorbrachte, entwickelte sich unabhängig von der ottonischen Kunst. Der Einfluß dieses Illustrationstyps reichte bis zu den frühesten Zisterzienserhandschriften, die zur Zeit des Abtes Stephan Harding (1109–1133), eines Engländers, in *Citeaux* entstanden.

Eine der schwierigsten Fragen der romanischen Buchmalerei ist der exakte Nachweis der Quellen des *byzantinischen Einflusses*, der einen so entscheidenden Anteil an ihrer Entwicklung hatte. In einigen Fällen kam dieser Einfluß unmittelbar aus *Byzanz*, entweder durch Wanderkünstler oder durch griechische Objekte, die den Westen erreichten. Zeitweise wurden byzantinische Einflüsse auch über Italien vermittelt. Das war gewiß in der zweiten Hälfte des 12. Jh. der Fall, als die byzantinischen Mosaiken in Sizilien zu einer wichtigen Quelle der Anregung für die Wand- und Buchmalerei nördlich der Alpen wurden. Aber Italien stand byzantinischen Einflüssen schon früher offen, so z. B. als griechische Mosaizisten nach Monte Cassino berufen wurden. Zudem verharrte die byzantinische Kunst nicht statisch, sondern sie erfuhr während des 11. und 12. Jh. beträchtliche stilistische Veränderungen (vgl. Bd. IV, S. 129ff., S. 142ff.), und so konnten die byzantinischen Einflüsse, je nach dem Zeitpunkt ihrer Einwirkung, sehr verschiedenartig sein. Überdies gab es große Unterschiede in der Interpretation griechischer oder griechisch beeinflußter Vorbilder durch die romanischen Künstler. Der Maler des Lektionars von Cluny (Abb. 183) und jener der Fresken von Berzé-la-Ville (Abb. 175) betonten die dekorativen Qualitäten der Falten, die wie ein zartes Netz die massive Christusgestalt überziehen; ihr naher Zeitgenosse *Goderannus* hingegen, der den majestätischen *Christus der Stavelotbibel* von 1097 (Abb. 184) entwarf, beschränkte sich auf wenige Faltenzüge, die ihm hauptsächlich dazu dienten, die Struktur und die Position des darunter verborgenen Körpers anzudeuten. Diese Arbeiten, so verschieden sie in ihren Maßen, der Technik und Ikonographie sind, lassen doch die gemeinsame Wurzel erkennen. Aber es überrascht nicht, daß das Wandbild von Berzé in jener Entwicklungslinie steht, die zu dem dekorativen Stil von Autun und Vézelay führt, während die Nachfolge der Stavelotbibel *Reiner von Huy* (Abb. 105) zusammen mit anderen großen Künstlern der Maasregion antrat. Die *Floreffebibel* (Abb. 185) ist der Repräsentant des reifen Stils der Maaskunst, der durch Goderannus in die Malerei eingeführt worden war.

Unter den *französischen Schulen der Buchmalerei*, die im 12. Jh. blühten, ist diejenige, die den byzantinischen Einfluß besonders deutlich verrät, die *Zweite Schule von Citeaux*. Sie entstand während des zweiten Viertels des 12. Jh. und wird durch eine Anzahl von Arbeiten repräsentiert, die für *Citeaux* und *Dijon* geschaffen wurden. Die Darstellungen sind nobel und tiefreligiös durch ihre verhaltenen Gebärden und die Feierlichkeit ihres Ausdrucks (Abb. 190). Die Gewänder suchen zwar nach byzantinischem Vorbild die unter ihnen verborgenen Körper zu definieren, sie sind aber vor allem dekorativ, mit metallischen Falten und scharf gewinkelten Säumen.

In *Italien* liegen ebenfalls häufig *byzantinische Elemente* der frühromanischen Buchmalerei

197 ILLUSTRATION ZUM IV. BUCH MOSE. Sog. Lambethbibel. Aus Canterbury, vermutlich St. Augustine's Abbey. Um 1150. London, Lambeth Palace Library, MS. 3, Fol. 66 v. 52×34 cm. Der zweite Band dieser Riesenbibel befindet sich im Maidstone Museum, MS. P. 5. Drei horizontale Bildzonen. Oben: Moses auf dem Berg Sinai (IV. Moses I, 1), Moses bestellt die Leviten zu den Hütern der Stiftshütte (I, 50), Moses zählt die Stämme Israels (I, 2). Mittelzone: Die Pflichten der Leviten (III und IV). Unten: Sühnopfer (VI und VII) und Pflichten der Merariten (IV, 30–32). – Die „nassen Falten", die in der Burybibel (Abb. 196) der Modellierung dienten, werden hier dekorativ verwendet. Der Meister von Canterbury liebt Massenszenen und expressive Effekte der verschlungenen Faltenmuster.

198 HÖLLENRACHEN. Sog. Winchesterpsalter. Um 1150. London, British Museum, MS. Cotton Nero C. IV. Fol. 39 r. 32,5×23 cm. Text lateinisch und normannisch-französisch; geschrieben und gemalt in Winchester. Am Anfang stehen 38 Seiten mit alt- und neutestamentlichen Szenen. Der Höllenrachen, ein Lieblingsmotiv der englischen Kunst, wird hier durch zwei monströse Drachenhäupter im Profil dargestellt, die an den Nüstern verbunden sind. Sie enthalten einen Knäuel von Verdammten, die von Teufeln geplagt werden. Links, außerhalb des Bildrahmens, verschließt der hl. Michael die an Teufelszähnen eingehängte Höllenpforte. Michaels Gewand hat „nasse Falten" (vgl. Abb. 196 und 197). Die Drastik des Bildes streift die Karikatur. Zwei Illustrationen dieses Buches sind direkte Kopien byzantinischer Arbeiten, vielleicht aus Sizilien.

199 SINTFLUT. Apokalypsenkommentar des Beatus von Liébana. Gemalt von Stephanus Garsia zwischen 1028 und 1072 für die Abtei St. Sever in der Gascogne. Paris, Bibliothèque Nationale, MS. Lat. 8878, Fol. 85 r. 36,5×28 cm. Im 11. Jh. stand die Gascogne unter spanischer Herrschaft. Diese Handschrift ist eine von vielen Kopien des Beatuskommentars (vgl. Bd. V, S. 173), sie basiert auf mozarabischen Prototypen. Leuchtende, reine Farben, flächige Figuren, silhouettenhafter Umriß, Ausdruck und Gesten expressiv. Stil und Ikonographie gewannen starken Einfluß auf die romanische Kunst.

200 STEINIGUNG DES HL. STEPHAN. Detail der Wandmalerei von S. Joan de Boi. Spätes 11. Jh. Jetzt Barcelona, Museo de Arte de Cataluña. Ein Hagel weißer, runder Steine trifft den Heiligen, der blutend niederkniet und zur Hand Gottes aufblickt. Ausdruck tiefer Gläubigkeit mit schlichten, fast zeichenhaften Formen. Ebenso einfach die Farbgebung: Rot, Blaugrün, Schwarz, Gelb, klar von Konturen umrissen. Farbkontraste ohne Rücksicht auf die reale Erscheinung.

197 ▷

ICI EST ENFERS E LI ANGELS KI ENFERME LES PORTES:

columba
equus
mulier
mulus
capra
ovis

SS
STE
FA
NVS

zugrunde. Süditalien war in dieser Hinsicht besonders rezeptiv. Hier entstand eine besondere Gattung von Illustrationen, die sog. *Exultetrollen.* Das sind lange Pergamentrollen mit der mit dem Wort „Exultet“ beginnenden Osterliturgie (laus paschalis), die der Diakon anläßlich der Weihe der Osterkerze am Karsamstag vortrug. Der Text wird durch eine Reihe von Bildern illustriert, die kopfüber angeordnet sind, so daß sie von den Gläubigen bei der Abrollung über das hohe Lesepult gesehen werden konnten. Dargestellt wurden u.a. die Weihe und das Entzünden der Osterkerze sowie der Gesang bei der Entrollung (*Exultetrolle*, Abb. 193). Die erhaltenen Exultetrollen reichen von sehr schönen, byzantinisch beeinflußten Beispielen bis zu primitiven Erzeugnissen provinzieller Werkstätten. Eine andere Gattung von Manuskripten war während der romanischen Epoche in Italien sehr beliebt: die *Riesenbibeln* (it. = Bibbia atlanticha), die in umbro-romanischen Zentren entstanden. Die Popularität dieser Bibeln zeigt sich an ihrer weiten Verbreitung; sie sind nicht nur in Italien zu finden, sondern selbst in Spanien (z.B. die Avilabibel, jetzt in Madrid). Diese großformatigen Bände sind mit Initialen und ganzseitigen Bildern geschmückt, die in zwei (*Perugiabibel*, Abb. 194) oder mehr Felder geteilt sind. Ihre Quellen sind zumindest zum Teil karolingisch, während sie stilistisch an die zeitgenössische römische Wandmalerei erinnern. Im normannischen *Sizilien* entwickelte sich eine aktive Schule der Buchmalerei, in der byzantinische Elemente dominieren. Ähnliches gilt für die Manuskripte, die im Königreich der Kreuzfahrer entstanden.

In *England* waren von 1066 bis etwa 1120 *Initialen* die vorherrschende Buchdekoration. Aber seit der dritten Dekade des 12. Jh. kamen ganzseitige Szenen auf, und die englischen Skriptorien brachten einige der bedeutendsten Bücher der romanischen Epoche hervor. Der *Psalter von St. Albans* (Abb. 195), jetzt in Hildesheim, und *Leben und Wunder des hl. Edmund*, jetzt in New York, zwei Werke desselben Künstlers, stehen am Anfang einer Reihe von Büchern, in denen zum erstenmal seit der normannischen Eroberung religiöse Szenen von großer Originalität erscheinen. Der Maler dieser beiden Bücher griff auf alte englische Quellen zurück, aber er hatte ebensoviel der ottonischen und italo-byzantinischen Kunst zu verdanken. Die etwas spätere *Bibel von Bury St. Edmunds* (Abb. 196), die *Magister Hugo* illuminierte, ist ein Meisterwerk, das einige Elemente der Miniaturen aus St. Albans mit dem byzantinischen Stil der „nassen Falten“ vereinigt und dadurch eine großartige Ausgewogenheit der dekorativen und monumentalen Qualitäten erreicht. Die formale Klarheit der schlanken, eleganten Gestalten wird noch verstärkt durch die lebhafte, feine Farbigkeit vor blauen und grünen Hintergründen. Dieses Manuskript scheint einen tiefen Eindruck auf die zeitgenössische Kunst Englands gemacht zu haben, denn sein Einfluß läßt sich nicht nur in der Buchmalerei, sondern auch in der Wandmalerei (Abb. 179) und sogar in der Plastik nachweisen. Aber die unmittelbaren Nachfolger der Burybibel waren Handschriften, in denen die englische Vorliebe für ausdrucksvoll bewegte Formen und dekorative Details die ruhige Monumentalität byzantinischen Ursprungs zurückdrängte, die für die Burybibel so typisch war. In der *Lambethbibel* aus Canterbury (Abb. 197) wurden die „nassen Falten“ nicht nur als Mittel angewandt, die Form des menschlichen Körpers zu verdeutlichen, sondern zu einem dekorativen Element entwickelt, das den Gestalten Energie und Bewegung verleiht. In geringerem Maß ist dies auch ein Wesenszug des *Winchester-*

200

psalters (Abb. 198) und anderer Manuskripte verschiedener englischer Skriptorien, darunter auch einiger in Nordengland. Dieser Trend der englischen Malerei jener Zeit beeinflußte auch die Entwicklung der Buchmalerei in *Nordfrankreich* und *Flandern*. Es gab dort eine Anzahl monastischer Skriptorien, deren in vielen Werken belegte dekorative Tendenzen jenen der englischen Malerei vergleichbar sind (*Tournai*, Abb. 192). In der englischen Buchmalerei wurden zwar diese dekorativen, echt romanischen Tendenzen in der extremsten Form verwirklicht, aber sie sind auch sonst in der Malerei in allen Teilen Europas anzutreffen. Zahlreiche deutsche und französische Miniaturen des 12. Jh. zeigen eine ähnliche Neigung zur Ornamentalisierung. Sogar in botanischen Handschriften überwog der dekorative Effekt (*Liber Floridus*, Abb. 186). Zudem war nicht das Interesse an der Natur, sondern an der *Allegorie* der Anlaß zu diesem Buch. Die gleiche *Tendenz* zu dekorativer Bildorganisation führte auch zu flächigen, teppichhaften Landschaftsbildern (*Carmina Burana*, Abb. 188).

Wiederholt war von der befruchtenden Wirkung der byzantinischen Kunst auf die romanische Malerei die Rede. Welle auf Welle des *byzantinischen Einflusses* erreichte den Westen, aber dort wurden die ursprünglich plastischen und monumentalen Formen modifiziert im Sinne zweidimensionaler, fast abstrakter, von intensiver Ausdruckskraft erfüllter Bildungen. Nur die Schule der Maaskunst und einige italienische Skriptorien standen außerhalb dieser allgemeinen Tendenz. Im Lauf der zweiten Hälfte des 12. Jh. jedoch – wiederum unter dem Einfluß byzantinischer Vorbilder, hauptsächlich aus Sizilien – erfolgte eine schrittweise Umbildung der vorherrschenden Stiltendenzen. Dies läßt sich an der berühmten *Winchesterbibel* demonstrieren, deren früheste Miniaturen, um 1160, noch rein romanisch sind und dem Stil der Lambethbibel und des Winchesterpsalters nahestehen. Die Arbeit wurde aber um 1170 von einer Gruppe von Malern fortgesetzt, die offensichtlich mit sizilianischen Mosaiken vertraut waren, und die in England eine Richtung begründeten, die sich von den romanischen Konventionen löste und zu den dreidimensionalen, monumentalen Formen tendierte, die Byzanz von der klassischen Kunst geerbt hatte. Ähnliche Wandlungen fanden allenthalben statt. In Frankreich ist das berühmteste späte Beispiel dieses Stils die *Souvignybibel* in Moulins. In Deutschland zeigen die Arbeiten der *Salzburger Schule* (Abb. 187) am deutlichsten diesen *Übergangsstil*, der von der Romanik wegführt. Wie die Bildhauerei und die Metallbearbeitung machte auch die Malerei eine Übergangsphase durch, die schließlich zu einem vollständigen Bruch mit der Vergangenheit führte. Die romanische Kunst entsprach den ästhetischen und religiösen Bedürfnissen der Menschen des 11. und 12. Jh. Die „antikisierende“ Richtung des späten 12. Jh. war nur ein Zwischenspiel, das nicht unmittelbar zur Renaissance führte. Der Geist des Mittelalters hatte sich noch nicht verausgabt, die Gotik stand bevor.

BIBLIOGRAPHIE

Allgemeines

BECKWITH, J. Die Kunst des frühen Mittelalters. 1967

BERTAUX, E. L'art dans l'Italie méridionale. 1904

BOASE, T. S. R. English Art, 1100–1216. 1953

BROOKE, C. The Twelfth Century Renaissance. 1969

BUSCH, H. Germania Romanica. 1963

COLLON-GEVAERT, S., LEJEUNE, J., und STIENNON, J. Romanische Kunst an der Maas im 11., 12. und 13. Jh. 1962

DECKER, H. Italia Romanica. 1958

DURLIAT, M. Hispania romanica. 1962

El arte románico. Barcelona 1961 (Ausstellungskatalog mit Literaturangaben)

EVANS, J. Cluniac Art of the Romanesque Period. 1950

FILLITZ, H. Das Mittelalter I (Propyläen Kunstgeschichte). 1969

FOCILLON, H. Art d'Occident. 1938 (Englische Ausgabe: The Art of the West. Hrsg. von J. Bony. 1963)

GANTNER, J., ROUBIER, J. Gallia romanica. 1966

GÓMEZ MORENO, M. El arte románico español. 1934

HASKINS, C. H. The Renaissance of the Twelfth Century. 1927

KIDSON, P. The Medieval World. 1967

KUBACH, H. E., BLOCH, P. Früh- und Hochromanik. 1964

MALE, E. L'art religieux du XIIe siècle en France. 5. Aufl. 1947

OAKESHOTT, W. Classical Inspiration in Mediaeval Art. 1959

PALOL, P. DE, HIRMER, M. Spanien. Kunst des frühen Mittelalters vom Westgotenreich bis zum Ende der Romanik. 1965

PANOFSKY, E. Abbot Suger on the Abbey Church of Saint-Denis. 1946

– Renaissance and Renascences in Western Art. 1960

Romanische Kunst in Österreich. Ausstellungskatalog 1964

STOLL, R. TH., ROUBIER, J. Britannia romanica. 1966

SWARZENSKI, H. Monuments of Romanesque Art. The Art of Church Treasures in North-Western Europe. 2. Aufl. 1967

THEOPHILUS, DE Diversis Artibus. Hrsg. C. R. Dodwell. 1961

Architektur

AUBERT, M. L'architecture cistercienne en France. 2. Aufl. 1947

BOASE, T. S. R. Castles and Churches of the Crusading Kingdom. 1967

CLAPHAM, A. W. Romanesque Architecture in Western Europe. 1936

– English Romanesque Architecture after the Conquest. 2. Aufl. 1964

CONANT, K. J. Carolingian and Romanesque Architecture, 800 to 1200. 2. Aufl. 1966

DEHIO, G., BEZOLD, G. VON Die kirchliche Baukunst des Abendlandes. 2 Textbde., 5 Atlasbde. 1887–1901

EVANS, J. The Romanesque Architecture of the Order of Cluny. 1938

FRANKL, P. Die frühmittelalterliche und romanische Baukunst. 1926

GALL, E. Dome und Klosterkirchen am Rhein. 1956

HAHN, H. Die frühe Kirchenbaukunst der Zisterzienser. 1957

LASTEYRIE, R. DE L'architecture religieuse en France à l'époque romane, 2. Aufl. 1929

PUIG Y CADAFALCH, J. Le premier art roman. 1928

– La géographie et les origines du premier art roman. 1935

RICCI, C. Architettura romanica italiana. 1925

TUULSE, A. Burgen des Abendlandes. 1958

WHITEHILL, W. M. Spanish Romanesque Architecture of the 11th Century. 1941, 1968

Plastik

AUBERT, M. La sculpture française au moyen âge. 1946

BEENKEN, H. Romanische Skulptur in Deutschland. 1924

BLINDHEIM, M. Norwegian Romanesque Decorative Sculpture, 1090–1210. 1965

CRICHTON, G. H. Romanesque sculpture in Italy. 1954

Deschamps, P. Die romanische Plastik Frankreichs. 11. und 12. Jh. 1930
Focillon, H. L'art des sculpteurs romans. 1931
Francovich, G. de La corrente comasca nella scultura romanica europea. Rivista del Reale Istituto di Archeologia e Storia dell'Arte. 5, 1935/36, S. 267ff., und 6, 1937/38, S. 47ff.
– La scultura medioevale in legno. 1943
– Benedetto Antelami. 1956
Gaillard, G. Les débuts de la sculpture romane espagnole. 1938
– La sculpture romane espagnole. 1946
Grodecki, L. La sculpture du XIe siècle en France. (L'information d'histoire de l'art, III, 1958)
Jullian, R. L'éveil de la sculpture italienne. La sculpture romane dans l'Italie du Nord. 1945
Panofsky, E. Die deutsche Plastik des 11. bis 13. Jh. 1924
Porter, A. K. Romanesque Sculpture of the Pilgrimage Roads. 10 Bde. 1923
– Romanische Plastik in Spanien. 2 Bde. 1928
Salvini, R. Wiligelmo e le origini della scultura romanica. 1956
Sauerländer, W. Die Skulptur des Mittelalters. 1959
Saxl, F. English Sculptures of the Twelfth Century. Hrsg. H. Swarzenski. 1954
Steingräber, E. Deutsche Plastik der Frühzeit. 1961
Stone, L. Sculpture in Britain. The Middle Ages. 1955
Zarnecki, G. English Romanesque Sculpture, 1066–1140. 1951.
– Later English Romanesque Sculpture, 1140 to 1210. 1953

Metallarbeiten

Braun, J. Meisterwerke der deutschen Goldschmiedekunst der vorgotischen Zeit. 1922
Chamot, M. Medieval English Enamels. 1930
Falke, O. von, Frauberger, H. Deutsche Schmelzarbeiten des Mittelalters. 1904
Falke, O. von, Meyer, E. Romanische Leuchter und Gefäße. 1935
Gauthier, M.-M., Emaux limousins champlevés. 1950
Goldschmidt, A. Die deutschen Bronzetüren des frühen Mittelalters. 1926
Hildburgh Medieval Spanish Enamels. 1936
Nørlund, P. Gyldne Altre. 1926

Elfenbein

Goldschmidt, A. Die Elfenbeinskulpturen aus der romanischen Zeit. 2 Bde. 1923–1926

Glasmalerei

Aubert, M. Le vitrail en France. 1946
Grodecki, L. Le vitrail français. 1958
Wentzel, H. Glasmalerei. 1954

Malerei

Ancona, P. d' La miniature italienne du Xe au XVIe siècle. 1925
Anthony, E. W. Romanesque Frescoes. 1951
Boeckler, A. Deutsche Buchmalerei vorgotischer Zeit. 1959
Demus, O. Romanische Wandmalerei. 1968
– The Mosaics of Norman Sicily. 1949
Deschamps, P., Thibout, M. La peinture murale en France. 1951
Dodwell, C. R. The Canterbury School of Illumination. 1954
Dominguez Bordona, J. Die spanische Buchmalerei vom siebten bis siebzehnten Jh. 2 Bde. 1930
Garrison, E. B. Italian Romanesque Panel Painting. 1949
– Studies in the history of mediaeval Italian painting. 4 Bde. 1953–1961
Grabar, A., Nordenfalk, C. Die romanische Malerei vom elften bis zum dreizehnten Jh. 1958
Pächt, O., Dodwell, C. R., Wormald, F. The St. Albans Psalter. 1960
Porcher, J. L'Enluminure française. 1959
Rickett, M. Painting in Britain: The Middle Ages. 1954
Salmi, M. Italienische Buchmalerei. 1956
Swarzenski, G. Die Salzburger Malerei von den ersten Anfängen bis zur Blütezeit des romanischen Stils. 2 Bde. 1908–1913 (Neudruck 1969)
Swarzenski, H. Vorgotische Miniaturen. 1931

REGISTER

Die fettgedruckten Zahlen sind Abbildungsnummern

INHALT

FOTONACHWEIS Alinari, Florenz 38, 50 – Anderson, Rom 43, 44, 48 – Archives Photographiques, Paris 16, 90 – ars liturgica Kunstwerkstätten, Maria Laach 35 – Art Centrum, Prag 182 – L. Aufsberg, Sonthofen 31 – Bayerische Staatsbibliothek, München 188 – Biblioteca Apostolica Vaticana 193 – Bibliothèque Nationale, Paris 191, 192 – Bildarchiv Foto Marburg 34, 56, 57, 70, 80, 93, 108, 117, 143 – A. Borgas, Münster 97, 106 – British Museum, London 184, 185, 189, 198 – H. Busch, Romanische Plastik 75 – Corpus Christi College, Cambridge 196 – Denkmalamt, Münster 163 – Deutscher Kunstverlag-Bavaria, München 104 – J. Dieuzaide, Toulouse 6 – G. Edelmann, Frankfurt 102 – Entwistle Photographic Service, Canterbury 179 – Fototeca Unione, Rom 111 – Giraudon, Paris 148, 151, 159, 160 – Hirmer Verlag, München 10, 149 – Jeiter, Hadamar 18, 68, 86 – A. F. Kersting, London 39, 47, 51 – Kill-Zodiaque, La Pierre qui Vire 176 – Lambeth Palace Library, London, Foto J. Freeman 197 – Lauros-Giraudon, Paris 162, 173, 175 – H. Maitek, Köln 181 – MAS, Barcelona 5, 125, 156, 171 – E. Müller, Kassel 153 – Musées Nationaux, Paris 150 – Österreichische Nationalbibliothek, Wien 187 – R. Remy, Dijon 190 – Ritter-Foto, Wien 178 – Scala, Florenz 164-167 – H. Schmidt-Glassner, Stuttgart 107 – Schmölz & Ullrich KG, Köln 33 – T. Schneiders, Lindau 138 – A. Schroll Verlag, Wien 36, 46, 49 – E. Schürer-von Witzleben, Gmund 161 – A. Skira Verlag, Genf 168–170, 174, 177, 183 – E. A. Sollars, Winchester 180 – Statens Historiska Museum, Stockholm 146 – Universitätsbibliothek, Gent 186 – Victoria and Albert Museum, London 158 – H. Wehmeyer, Hildesheim 195 – Alle übrigen Fotos: Courtauld Institute of Art, London.